책임 (the duty)

책임 (the duty)

발 행 | 2021-02-26
저 자 | 정영록
펴낸이 | 한건희
펴낸곳 | 주식회사 부크크
출판사등록 | 2014.07.15(제2014-16호)
주 소 | 서울특별시 금천구 가산디지털1로 119 SK트윈타워 A동 305호
전 화 | 1670-8316
이메일 | info@bookk.co.kr

ISBN | 979-11-372-3813-8

운명이 이끌어낸

세계의 변화에 책임을 다해야 한다.

책임(the duty)

정영록 지음

힘의 이동에 따른 변화

기존의 질서는 힘이 국가의 내부에 있지 않고,

미국과 일본 등 외부에 있었기에

그 힘에 잘 따르는 세력들에게 힘이 주어졌었다.

즉, 그들이 대한민국을 이끌어 간 것이다.

그들이 주류세력이었고, 보수세력이었다.

그들은 노예들의 관리자 역할을 하며,

국민들을 주인으로서 대우하기 보다는

'을'로서 대우해 온 것이다.

그들은 질서에 가장 잘 적응해 온 것이다.

상식적으로 본다면,

힘이 국가의 내부에 있어서

자주성을 회복하고 부강해지는 것이

국민들에게도, 국가에도 좋은 일이다.

하지만 외부의 힘에 따르는 사람들이

그들의 방식과 기득권을 놓지 않기 위해서

변화하는 새 질서의 흐름을 거부하려 할 것이다.

이런 문제는 한반도 평화가 이룩되면

해결될 것으로 보인다.

평화로 인해서 자주독립의 내적인 힘이 생길 것이기 때문이다.

국민들의 의식은 더욱 향상되고,

진실을 보는 눈을 기를 수 있게 될 것이다.

국민들이 깨어나는 만큼, 정치도, 기업도, 사회도, 변한다.

보수세력의 핵심은 힘에 따르는 것인데,

그 힘이 내부에 바르게 있다면 그들도 변하지 않을까?

국민이 주인 되는 길은 독립된 국가, 통일을 이루는 길이다.

2019년 8월 15일

정영록

서문

"운명이 이끌어낸

세계의 변화에 책임을 다해야 한다."

2021년, 신축년이 밝았다. 지난 1년은 내 인생에서 가장 큰 스트레스와 건강의 문제로 힘들었던 시간이었다. 2019년부터 시작된 코로나 바이러스로 전 세계 모든 인류에게 힘든 시간이었지만, 나에게는 더욱 힘든 시간이었다. 세계적 재난에 큰 책임을 느꼈기 때문이다. 이 책임은 나만이 감당하고 느낄 수 있는 은밀한 책임이었다. 나는 자연스러운 운명이 만들어낸 역사와 그로 인한 세계의 변화를 관찰하면서, 내가 나서지 않으면 코로나 바이러스를 종식하기 힘들겠다는 생각이 들었다. 이것은 무슨 말인가. 나는 또 한 번 미쳤

다는 소리를 들을 작정을 하고, 세상에 메시지를 전해야 함
을 느낀다.

　나는 한반도의 평화통일과 세계 평화라는 꿈을 갖고, 몸이
이끄는 대로 한 걸음씩 역사를 만들어왔지만, 전 세계적 전
염병 상황에 대해서는 미처 예상하지 못했다. 팬데믹 상황
에 책임을 느꼈던 것은 심연에서 존재에게 들었던 메시지
때문이었다. 심연에서는 나의 생각으로 3 차 대전이 일어날
수 있고, 사람들을 죽였다고 했으며, 최종적으로는 전 세계
의 모든 전쟁을 끝나게 했다고 했다. 이 팬데믹 상황을 전쟁
상황으로 본다면, 나의 역할에 의해서 이런 상황을 끝나게
한다는 예언이 아니었을까 하는 생각이 들었다. 심연에서
메시지를 들었던 2007 년부터 오랜 시간이 흐를수록, 여러
가지 예언이 실현되는 역사를 보면서 존재들의 메시지에 신
뢰할 수 있었고, 세계적인 각종 예언들을 보아도 구원자의
등장 전후로 전염병이 전 세계적으로 득세한다고 하였다.
처음 출판한 '스트레인지 뷰티(Strange Beauty)' 책에서 밝
힌 예언들의 내용을 보아도, 시간이 지날수록 실현되는 것
을 보았기에, 다시 한번 나의 여정과 예상을 밝힌 책을 세상

에 내보인다면, 실현될 것이 아닌가 하는 생각이 들었다. 왜냐하면, 나는 구원자의 운명을 갖고 있기 때문이다.

결정적으로는 코로나 종식을 염원하며 간절히 기도하고 있었을 때, 내면에서 '너만 등장하면 돼.'라고 내면의 존재가 여러 번 알려주었다. 처음에는 의심하기도 했지만, 문제에 몰두할수록, 그것이 해법이라는 생각을 갖게 되었다. 궁극적으로 무력에 의한 모든 전쟁이 끝나려면, 하늘에 의한 새로운 질서가 세상에 드러나야 하기에, 하느님의 존재를 증명하는 나의 등장은 더욱 절실한 것이라고 생각했다. 또한, 과학적으로는 인류를 정신문명으로 인도하여, 정신적 면역을 높일 수 있기에, 코로나 바이러스에 대한 방어력을 높일 수 있어, 코로나를 종식시킬 수 있지 않을까 하는 생각도 든다.

처음에는 너무나 괴로워했다. 내가 하는 모든 생각들에 대해서 괴로워했다. 여러 종교에서는 이 팬데믹 상황이 하늘의 심판이라고 말했지만, 그리고 내면에서도 하늘의 심판이라는 느낌을 주었지만, 나는 하늘과 연결된 내 의지로 인류를 심판하고 싶지 않았다. 가끔 화가 나서, 심판하고자 하는 마음이 순간 일어나기도 했지만, 마음이 불편한 것은 여전

했다. 나에게는 심판보다, 많은 생명이 죽어간다는 사실이 더 중요했다. 인류가 죽어간다면, 나 역시 죽어간다는 생각이 종종 들었던 이유는 모든 인류가 연결되어 있기 때문일 것이다. 그것이 아무리 하늘의 의지일지라도, 많은 사람들이 죽어가는 이러한 세계의 변화가 두려웠다.

내가 하늘과 연결되어 있다는 생각을 하지 않았다면, 내가 의도하는 역사의 연장선상에서 코로나 바이러스가 펼쳐졌다는 생각을 하지 않았다면, 심연에서 그러한 충격적인 메시지를 듣지 않았다면, 나는 그에 대한 책임을 가졌을 것인가. 그랬다면, 큰 책임을 갖지는 않았을 것이다. 나에게 운명 지어진 이 상황을 종합해 볼 때, 모든 것은 지금 이 순간을 위한 것이었다고 믿고 싶다. 조각난 기억들, 마주하는 단서들, 각종 예언들, 세계적 변화와 흐름, 새로운 질서에 대한 필요, 이 모든 것들이 나에게 한 번 더 절벽에서 뛰어내리라고 재촉한다. 한반도 비핵화를 위해 처음 절벽에서 뛰어내렸을 때도 두려움이 컸는데, 그 이후의 축적된 시간 속에서 내면은 더 강인해졌지만, 이번에는 더 큰 난이도의 문제 해결을 위해 뛰어내려야 함을 느낀다.

내가 세상에 등장한다면, 기존의 질서를 유지하기 원하는 세력들은 나를 악마로 몰아갈지도 모른다. 하지만, 나는 이 운명이 이끌어낸 세계의 변화에 책임을 다해야 한다. 그 책임은 나를 병들게 할 수 있지만, 나에게 진정한 책임이란, 내면의 여정을 위해 몸의 진실에 집중하는 것, 문제 해결을 염원하며 하늘과 소통할 수 있도록 덕을 지켜나가는 것이라는 결론을 내렸다. 나에게 책임은 무겁기만 한 것이 아니라, 때에 따라, 가벼움과 무거움의 조화 속에서 지속적으로 길을 이어나가는 것이어야 했다.

코로나 바이러스로 인해서 세계적으로 인류에 대한 통제와 관리가 강화되는 방향으로 역사가 진행되고 있는 시점에서, 코로나 바이러스의 종식이 요원해 보이는 현시점에서, 하느님의 존재와 인류의 자유를 드높일 수 있는 여정이 세상에 널리 알려진다면, 인류는 진정한 자유를 되찾고, 맑은 공기를 마음껏 누리며 거리를 걸어 다닐 수 있을 것이다. 지금까지 이토록 자유가 소중했던 적은 없었다. 애타는 마음으로 전 세계 인류의 자유를 소망한다.

이 책의 진정한 목적은 새로운 질서를 위한 힘의 이동에 있다. 이 땅의 지도자 가능성을 가진 사람으로 미래의 국가 비전을 공표함으로써 새로운 질서의 주체가 되어야 했다. 이것은 나만의 개인적 욕망만을 위한 것이 아니라, 한반도의 비핵화, 전 세계 모든 전쟁의 종식, 코로나 팬데믹의 종식을 위한 것이다. 인류가 새로운 시대로 진입하기 위해서는 정신문명을 선도하는 깃발을 든 자의 역할이 필요한 것이다. 첫 번째 책인 '스트레인지 뷰티 (Strange Beauty) '에서는 운명을 각성하는 여정을 통해 국가적 문제의 근본적 문제 해결을 위한 글이었다면, 이번 책은 대한민국의 지도자를 꿈꾸는 청년으로서, 한국 사회를 바라보는 시선과 구체적인 문제 해결의 비전을 발표함으로써, 남북의 평화통일을 실현시키고, 4 차 산업혁명 시대에 대한민국을 선도국가로 만들어갈 수 있다는 희망을 주기 위한 글이 될 것이다. 첫 번째 책은 널리 알려지지 않은 것 같지만, 이번 책은 그 역할이 더 분명한 만큼, 널리 알려져서 큰 관심을 받기를 바란다.

차례

경자년에 대한 기대

진정한 독립을 향해서

유튜브를 통해서 충격받은 것들

타로카드에 관심을 갖다

여행사 아르바이트

내 몸을 천금같이 아끼는 이에게 천하를 맡길 수 있다

"너만 행복하면 우리 다 행복해."

인생에서 가장 큰 대운이 온 것인가

세계평화에 대해서

새로운 질서를 만든다는 것에 대해서

코로나 백신과 치료제의 개발 소식 / 미국대선 결과

새로운 질서에 대한 고찰

2019, 기해년을 돌아보다

벌써 11월, 입동이 지났다. 나는 작년, 무술년부터 이어온 역학적 운의 흐름에 따라, 나에게 주어진 미션을 완수해나가며 살아왔다. 나는 올해 초부터 심연에서 존재가 말한 것을 믿고서, 10월 노벨상 수상을 목표로 감히 준비해왔다. 나의 능력이 부족했던지, 시기가 안 맞았던지, 결국 수상하지 못했다. 수상을 기정사실로 여기며 살아왔기에, 그 충격은 컸다. 어쩌면 안일한 마음이 자리 잡았는지도 모르겠다. 나는 이제 모든 것을 원점으로 여기며, 다시 살 길을 모색해야 했다. 그동안 역학적 정보로는 10월에 좋은 일이 일어난다고 하였기에, 나는 그것을 철석같이 순진하게 믿고 있었는데, 나의 추측은 신뢰하기 힘든 것인가. 어디서부터 잘못된 것인가. 나의 지성은 아직도 믿을 만한 것인가. 나의 뿌리가 흔들리는 기분이었다. 하지만 심연의 메시지에서 비롯된 것이라, 그 시기를 유보한다면 문제가 없다는 생각이 들었다. 이 또한 매우 교만한 생각일 수 있지만, 내가 한반도 비핵화에, 그리고 세계 평화에 기여할 수 있다는 전제하에, 가능할 수 있는 일이라는 생각이 들었다. 책을 집필하면서, 그리고 다시 읽으면서, 얼마나 많은 눈물을 흘렸던가. 그것이 단지 미친 여자의 광기였을까. 절대로 그럴 일은 없다. 나의 실패에서 하늘의 메시지를 읽어보면, 아무것도 믿지 말고, 확신하지 말고, 끝날 때까지 끝난 것이 아니니, 최선을 다하라고 말하는 것 같았다.

나에게는 아직 해결하지 못한 한반도 비핵화 문제에 기여해야 한다는 사명이 남아있고, 10월, 갑술월에 갑목이 드러나 뜻을 펼쳐야 한다는 어느 국민의 말을 참고해서, 내 책의 주제의식인 서문과 맺음말을 블로그에 공개했다. 그리고 8월부터 시작한 페이스 북 광고는 벌써 좋다고 반응한 사람이 400명이 넘는다. 2명은 감사하다고 답글을 달아주어 무척 기뻤다. 그것으로 최선을 다했다고 할 수 있나. 나는 아직도 묻고 있지만, 11월~12월에 내가 세상에 드러난다는 말이 있어서 그것을 기다리고 있다. 다만 그 과정에서 내가 어떤 행동을 취해야 하는 것인지에 대해서 고민이 많다. 하지만 나의 도를 생각해 보면, 불현듯 생각이 찾아올 것이라고 생각한다. 이제는 마음이 불편하진 않기 때문이다.

내가 할 수 있는 최선은 다했다고 본다. 올해 인생에서 가장 큰 기회가 온다는 역술인의 말을 기억하고, 지난 5월, 방송국에 비핵화 해법에 대한 기사제보를 했고, 6월에는 여러 출판사에 본격 투고를 했다. 수 백군데 투고를 했지만, 출판사에서 긍정적인 연락은 오지 않았고, 현실적 벽을 크게 느꼈다. 사회체제에 반기를 드는 위험한 글을 받아줄 출판사는 없었던 것이다. 7월에는 다행히도 자가출판 플랫폼을 발견하여 스스로 출판했다. 스스로 책 표지를 만들고, 글을 편집하여 회사에 보내면, 주문이 들어왔을 때 인쇄하기 때문에 초기 비용이 들어가지 않아도 출판이 가능했던 것이다. 나만의 생각을 소중히 담은 책을 나만의 감각으로 디자인하여 세상에 내어 놓는다는 것은 참으로 감동적인 일이었다. 자식을 낳으면 이런 느낌일까? 처음 시도한 일이라 시간이 많이 걸렸지만, 그 과정이 너무나 행복했다. 8월에는 책에 대한 페이스 북 광고를 시작했고, 블로그에도 광고 글을 올렸다. 이후 최대한 많은 이들에게 알려야 한다는 생각에 온라인 사이트인 미스터리 갤러리와 정신병 카페에도 홍보 글을 올렸다. 정신병 카페에는 괜히 올렸다고 후회했다. 그들의 상처를 가중시킨 것 같아서 바로 지워버렸다. 9월에는 노벨상 수상을 위해서 마음의 준비를 하며, 글에서 수정할 곳을 찾아보았고, 드디어, 10월, 예상은 보란 듯이 빗나가고 말았다. 인생이라는 것은 참 뭐랄까. 알듯 말듯 잘 모르겠다는 생각이 들었다. 미래를 알기 어렵다고 하는 것이 맞겠다. 더욱 겸손하게 정진하라는 의미 같다. 내가 그동안 안심하고 노력을 게을리하기도 해서 하늘의 노여움을 산 것일지도 모르겠다.

아마 길면 2달 내로 세상이 정도령에 대해서 관심을 갖고 조명할 것이다. 그때 나는 세상을 향해서 무엇을 말할 수 있을까. 너무 부담 가질 필요는 없다. 작가는 원래 글로써 표현하는 법이다. 나는 용맹한 전사가 아니다. 말은 아껴야 한다. 벌써 미스터리 갤러리에서는 가능 공주라고 표현하며, 등장을 기대하고 있고, 각종 광고나 매체에서도 그 존재의

26

도래를 기다리는 듯하다. 문득 아인슈타인의 말이 떠오른다. '나는 미래를 계획하지 않는다. 왜냐하면 미래는 곧 닥치기 때문이다.'라고 했던가. 나는 일시적으로 휘청거리며 괴로워 했지만, 역사에서 큰 흐름을 만들어가는 입장에서 나의 역할이 있을 것이라고 본다. 그것이 자연스럽게 나의 사회적 직업과 함께할 사람들을 만들어 줄 것이다.

기해년을 지나오면서 내가 느낀 점은 정말로 인생이 너무나 고독하다는 것이다. 이것은 고문일지도 모른다. 그러나 희망찬 미래가 있기에, 그것으로 충분하다. 나는 언젠가 내가 괴로워야, 고난을 감당하고 열심히 해야, 국민들이 좋아진다는 생각을 했다. 즉, 내가 위기에 몰려야, 하늘이 길을 열어줄 것이 아닌가. 내가 아무런 문제의식 없이, 열정 없이 살아간다면, 하늘이 나를 어여삐 여기고 도와줄 것인가. 그래도 손님처럼 살아온 나에게 선명한 배역이 주어졌다는 것은 기쁜 일이다. 너무 고독한 것만 빼면 즐겁다.

2019년 11월 10일
블로그 비공개 글 편집

1. 경자년에 대한 기대

경자년에 대한 기대

기해년이 무척 힘들었기 때문에 경자년에 대한 기대가 컸다. 인터넷 커뮤니티 역학 갤러리의 사람들은 오랜만에 진정한 수기운이 들어온다며 그동안 화가 강한 사주 탓에 힘들었던 사람들이 좋아진다는 것이었다. 나는 화가 강한 병오 일주였기에 더욱 경자년이 기다려졌다. 나는 이미 작년 11월 중순부터 안정적인 경제력을 갖추지 못한 상태에서 월세로 독립을 했으니, 현실적인 측면에서 운에 대해 더 민감할 수밖에 없었다. 독립을 한 것도 좋아지는 운에 대한 믿음 때문인 부분도 있었다.

진정한 독립을 향해서

　나만의 공간에서 홀로 살아가면서, 독립에 대해서 더욱 의미를 부여할 수 있었다. 지금까지 30여 년을 부모님과 함께 살면서, 나의 가치관이나 의견을 억누르며 당당하지 못하게 살아왔다는 생각이 들었다. 혼자서 살아가니, 나에게 분명 삶에 대한 책임이 더 생기지만, 사회 앞에 당당할 수 있다는 생각에 기뻤다. 특히 하루가 길어짐을 느꼈다. 내 방이 없을 때는 나만의 시간을 충만하게 쓰지 못했는데, 나만의 공간에서 사색한다는 것은 하루 시간이 2배, 3배로 늘어난다는 것을 의미했다. 내가 존중받는다는 느낌이 들었다. 나는 나를 더 사랑할 수 있고, 소중히 할 수 있다는 생각에 희열을 느꼈다. 난방비와 전기세를 절약하는 노력이 행복했다.

나의 예민한 정신도 진정한 독립을 향하고 있었다. 정신과 의원에 다니면서 내 생각에 대해서 의심하는 것이 습관이 되어 있었는데, 오랜 시간 동안 새로운 생각으로 꿈꾸고 상상하며 이끌어 온 나의 역사에 대해서 점점 자신감을 갖게 되었다. 선조들의 각종 예언들도 도움이 되었지만, 사주역학이 큰 도움이 되었다. 경자년에 대한 국운 전망을 역술인들이 풀이해놓은 글들을 읽어보며, 나의 느낌은 착각이 아님을 예감했다.

정신과 의사선생님은 그동안 나의 생각을 지지한 적도 있었지만, 억압한 적도 있었다. 나의 상상을 병원에 가서 털어 놓으면, 저지당한다는 생각이 든 적도 있었다. 그것은 나의 건강을 위한 것이었을 것이다. 객관적으로 보았을 때, 현실에서 벌어지지 않은 일에 대해서 오랜 시간 지나친 상상을 이어간다는 것이 의사선생님의 입장에서 위험해 보였을 것 같다. 너무나 독특한 운명을 가진 이의 비애 같은 것이다. 많은 정신병자들이 자신이 특별한 메시아라고 착각하고 살아가기 때문에, 현실검증이 일어나기 전까지 병증일 수 있다고 여기며 경계하는 것이 이상할 것도 없었다. 그렇다고 항상 저지만 당했던 것은 아니었다. 의사선생님에게 나의 글을 보여 주었을 때는 책으로 출판해보는 것도 좋겠다고 조언하셨고, 나에게 정말 좋은 사람이라고 칭찬해 주셨다. 종종 나를 저지했던 의사선생님을 의심하고 원망하는 마음이 생기기도 했지만, 이렇게 독특한 운명의 소유자를 건강하게 이끌어 준 것만으로 감사해야 한다는 생각이 들었다. 시간이 지날수록 의사선생님도 나의 운명에 대해서 이해하는 것 같았다.

유튜브를 통해서 충격받은 것들

유튜브에서 양질의 정보를 다양하게 접할 수 있었다. 내가 관심을 가졌던 사주역학, 예언, 철학, 국제정세 등에 대해서 알 수 있어서 참 좋았다. 일반 언론에서는 다루어지지 않는 참신하고 진실도 높은 내용들이 많았다. 유튜브에서 차기 대통령에 대해서 한 역술인이 예언한 영상을 보았는데, 병화 일간이며, 기존의 것을 종식하고 새로운 시대를 여는 인물이라고 한 것을 보고, 다음 대권에 내가 대통령이 될 수도 있으니 준비해야겠다는 생각이 들었다. 국민들의 유튜브 댓글을 읽어보면서 세상에 다음 대통령에 관한 정보가 널리 퍼지고 있다는 것을 확인할 수 있었다. 그 기대가 큰 만큼 마음이 편할 수가 없는 것이었다.

미국의 기독교 목사들의 영상을 보아도, 북한은 하나님의 계획에 의해서 개방되고 평화 통일되며, 차기 대통령은 통일을 이끄는 영적 지도자가 된다는 말에 충격을 느꼈고, 담대하게 받아들이고자 했다. 큰 부담으로 힘들 때마다, 내가 혼자서 모든 것을 감당하지 않아도 하느님이 이끌어 주실 것이라고 생각을 하니, 마음이 편해졌다. 목사님들의 예언과 말씀을 들으며, 정말 하느님의 계획이 존재한다는 확신이 들었다. 그러한 하늘의 계획은 전 세계에 공통적으로 전해지며, 인류를 하나로 만드는 역할을 할 수 있다는 사실이 놀랍고 경이로웠다. 나만이 외계인처럼 남달라 신과 소통하는 고독한 존재는 아니라고 생각하니, 심적으로 위로가 되었다. 하지만 나 자신이 하나님의 아들이라는 생각은 받아들이기 어려운 것이었다. 한국 사회가 그동안 제도권을 벗어나는 상상이나 창의적이고 영적인 것에 대해서 쉽게 부정하고, 그러한 의견에 대해 미쳤다며 저지해온 측면이 컸기 때문에, 받아들이는 것은 더욱 어려운 일이었다. 게다가 나는 여자이지 않은가.

타로카드에 관심을 갖다

유튜브에서 타로카드 영상을 보게 되었는데, 5개의 카드 중 느낌이 오는 한 개를 골라 해석을 들어보면 나의 상황과 너무 잘 맞아서 신기했다. 내가 고르지 않았던 다른 카드들의 해설을 보면, 결코 내가 선택한 카드와 비슷한 내용이 아니었다. 여러 번 시도해보아도 잘 맞음을 알게 되었고, 나를 인도하는 내면의 느낌을 좀 더 믿을 수 있겠다는 생각이 들었다. 단, 정말로 궁금할 때, 알고자 하는 욕망이 분명할 때 적중이 가능한 것이라는 결론을 내렸다. 항상 맞지는 않았기 때문이다. 예전에 타로카드에 관심을 갖고 탐구한 적이 있었고, 당시 사 두었던 타로카드가 있어서 점을 쳐보기도 했다. 원래 사주역학은 믿었지만, 타로카드는 믿지 않았는데, 내면 직감의 힘을 알게 된 나로서는 타로카드라는 즐거운 취미생활을 시작할 수 있었다. 무엇보다 카드에 그려진 그림이 너무나 아름다웠고, 주인공이 영적으로 진화해가는 단계를 나타낸 것이 타로카드라는 사실도 너무나 마음에 들었다. 해석할 수 있는 역량을 길러서, 내면의 무의식과 더 잘 소통하고 싶다는 생각이 들었다.

여행사 아르바이트

　오후에 2018년부터 한 회사에서 사무직으로 3시간 아르바이트를 해왔는데, 오전에 추가로 여행사 아르바이트를 하면서 경제적으로 덜 불안한 마음을 갖게 되었다. 처음부터 오래 일을 하려고 한 것은 아니었다. 일을 할수록, 대권이 있는 2022년까지 남은 시간이 별로 없다는 생각이 들었다. 그래서 경제적으로 불안정해지더라도 오전 시간에 일하기보다 공부를 해야 하는 것이 아닌가 하는 생각이 들었다. 하지만 한편으로는, 지식과 정보를 습득하는 시간과 양을 늘리기만 하는 것보다는, 안정적인 생활을 유지하면서 세계의 흐름을 예민하게 주시하고 스스로 생각하는 시간을 유지하는 것도 괜찮을 것이라는 생각을 했다. 나는 아시아 분야의 여행 사무를 맡고 있었는데, 필리핀의 따알화산이 폭발하면서 필리핀 여행 건이 모두 취소되었다. 이어서 중국에서 코로나 바이러스가 시작되면서 전 세계로 퍼져나갔고, 여행사 사장님은 큰 고민에 휩싸였다. 사장님은 한 달간의 무급휴가를 주었고, 결국 나는 권고사직을 당했다. 어차피 개인 공부를 위해서 나오려는 마음의 준비를 하고 있었기 때문에 큰 충격을 받지는 않았다.

2. 대한민국의 문제는 무엇인가

용서와 덕에 대해서

나는 초점을 잃을 때마다, 정신을 차리고, 차기 대통령이 되어야만 하는 운명에 나를 맞추어 보았다. 나의 운명을 도가 지켜준다는 말은 믿었으나, 나에게 처해진 상황과 현실에서 나의 길을 찾아보려고 했다. 단지 막연한 믿음만을 갖고 있는 행복한 바보로는 전 국민의 생명을 지킬 수가 없지 않은가. 나는 스스로 많은 것을 판단하고 결정하며 분별해 내야 하지 않겠는가.

바보의 행복을 버리고, 분별하고 판단하려는 마음을 다시 가질수록 내 안에서 행복은 떠나갔다. 미래에 대한 가능성과 그로 인한 인식을 소유할수록, 주변 사람들에 대한 원망이 생겼다. 과거를 반추해보며, 내 생각을 종종 무시했던 가족들이 원망스러웠다. 전에는 힘이 없어서, 모든 것을 용서하는 것이 생존을 위한 것이었지만, 이제 힘이 생기니 나에게 선택권이 주어지는 것이었다. 처음에는 서운했던 가족들과 거리를 두고, 그들을 판단하고 분별하며, 냉정하게 대하려는 마음도 일어났다. 하지만 그럴수록, 내 마음속에는 덕스러움이 떠나갔다. 부자가 천국에 가는 것이 어렵다는 말이 떠올랐다. 소유하고자 하는 마음이 강하고 클수록, 행복을 지켜나가는 것이 어려운 것이 아닐까.

내가 소유한 힘을 행사하고, 나를 힘들게 했던 이들을 용서하지 못한다면, 충만한 마음을 갖지 못하기에 진정한 능력인 덕을 잃게 될 수 있다는 생각이 들었다. 그것은 온몸에서 느껴지는 진실이었다. 리더에게는 신과 소통하며 길을 만들어가는 덕의 능력이 가장 중요한데, 리더가 그것을 잃는다는 것은 모든 것을 잃음을 의미했다. 하늘이 부여한 힘은 빌려 쓰는 것이고, 공적으로 쓰는 것이지, 거대한 힘을 개인적으로 쓴다면 불행해질 것이라는 생각이 들었다. 소유한다면 잃게 되지만, 빌려 쓴다면 영원히 쓸 수 있겠다는 생각도 들었다. 그래서 과거의 조상님들이 무소유의 지혜를 말했는지도 모르겠다. 정신은 세계와의 조우 속에서 끝없이 변화하지만, 덕을 지켜나갈 수 있도록 전 존재적으로 살아가는 삶의 방식을 지켜내야 한다고 생각했다.

왕과 대통령에 대해서

한국의 사회구조에 대한 탐구를 지속하면서, 왕당파와 공화파, 왕과 대통령의 역할에 대해서 생각해 보았다. 한국의 국민들이 원하는 모습인 분별하고 판단하는 실무적인 경험과 능력이 나에게 부족한데, 내가 그러한 대통령의 역할을 감당할 수 있을까. 판단을 위한 분별심이 지나쳐 덕스러움을 잃게 된다면, 신과의 소통도 어려워져 길을 내고 비전을 설정하며 미래를 창조하는 일이 힘들어질 텐데, 왕과 실무적인 성격의 대통령의 역할은 양립 가능한가. 나는 어렵다는 결론을 내렸다. 서구권에서 왜 왕과 총리로 나누어서 통치하는지 이해하게 되었다. 국민들 중에는 신과의 소통을 더 중시하는 유형이 있고, 일반 국민들의 대변자로서의 리더를 생각하는 유형이 있을 텐데, 본질적으로 들어갈수록 두 세력을 하나의 리더가 아우르기는 쉽지 않을 것이라고 생각했다. 과거 왕정시대에 왜 왕을 극진하게 대접하고, 왕을 중시했는지 생각해 보면, 단순한 특권의식이 아니라, 신과 소통하는 내면을 존중해 주어야만 지도자가 덕을 유지할 수 있고, 신과 소통하며 길을 내는 역사를 가능하게 하기 때문이 아니었을까 하는 생각이 들었다. 모든 국민들을 만족시키는 스타일을 보여주고 유지하는 것이 책임감이 아니라, 오로지 덕을 지켜나가는 것이 선명한 비전으로 인도하여, 실질적으로 국민들에게 만족스러운 결과를 가능하게 할 수 있고, 그것이 가장 큰 책임을 다하는 것이라는 생각을 갖게 되었다.

대한민국의 근본적 문제 : 사대주의

나는 그동안 블로그에 짧은 통찰의 글들을 써왔다. 나에겐 원칙이 있었다. 어떤 특별한 진리의 순간이 찾아오면, 그 아름다움을 표현하자는 것이었다. 나에겐 그 생각이 갖는 위험성보다, 아름다움을 표현해야 한다는 예술가적 본능이 컸고, 너무나 당연한 순리 같은 것이었다. 그래서 때로는 그런 마법 같은 순간이 다가오길 기다렸다. 나의 정신은 언제나 무언가를 더 알기 위해 정보를 향하고 있었고, 문제의식을 갖기도 했다. 그러다 보면 우연처럼 아름다운 순간이 찾아오기도 했다.

한국의 근본적인 문제는 사대주의 때문이라는 생각이 떠올랐다. 힘이 외부에 있기 때문에 국민을 주인으로서 대하지 못하고, 을로서 대하며, 수많은 갑을 관계의 질서 아래 국민들이 고통받고 있다는 것을 알게 되었다. 한국의 보수세력들이 부패할 수밖에 없는 것은 그들이 힘을 따르는 특성을 갖고 있고, 그 주류세력이 강대국을 따르기 때문이라는 생각이 들었다. 그래서 전쟁이 끝나고, 통일이 되어야만 진정한 문제를 해결할 수 있다는 비전을 세울 수 있었다. 강한 역사적 정당성과 하늘로부터 부여받은 힘을 상징할 수 있는 리더가 자리 잡아야 진정한 힘을 국가의 내부에 둘 수 있기에 사대주의를 척결할 수 있다고 생각했다. 아래 글들은 국가적 문제에 대한 생각을 거듭한 끝에 떠오른 통찰이다.

왜 상위로 갈수록 부패함이 커지는가

힘의 상위로 갈수록

부패함이 커지는 것은

힘의 구조에 따른 실상에 더 가까워지기 때문이다.

상층에서는 스스로 큰 결정권을 갖는 입장인데

노예적 상황의 실상이 더욱 적나라하게 드러나기에

노예들을 부리는 입장에 충실할 수밖에 없는 것이다.

이해를 돕기 위해서 극단적으로 말하는 것이기에

모든 이들이 그렇다는 것은 아니지만

세계의 구조적 실상을 이해하는 데 도움이 된다.

말단에서는 돈이 없어 일을 해야 하는 노예적 상황이지만

부정에 참여하는 큰 결정권이 있지는 않다.

하지만 위로 올라갈수록

국민들을 주인으로 대해야 하는 헌법적 가치와

현실적 힘의 논리 사이에서 갈등할 수밖에 없고

힘을 따라 부자이자 권력자로 올라오는 특성의 사람들은

또 다른 외부의 힘에 따를 수밖에 없는 입장에 놓여있고

그 역할은 국민들을 노예로 관리하고 다루는 것이다.

힘에 따르는 행위만으로

가해자가 되고 부패해질 수도 있다는 것이다.

가장 상층이 이러한 구조 아래 있기에

질서를 따르는 아랫사람들도 영향을 받게 된다.

실상은 힘이 외부에 있기에 그런 것이다.

전쟁을 완전히 끝내지 못해서이다.

국민이 진정한 주인이 아니기에 그렇다.

그럼에도 사회가 점점 깨어나고 있다는 점은 희망적이다.

한국의 정치 관련 뉴스들을 보면, 두 거대 정당이 서로의 부도덕함에 대해서 비판하는 것이 주요 내용이고, 생산적인 논의라기보다는 한국 국민에게 자괴감을 심어주기에 충분한 내용들이 많았다. 비생산적인 싸움에 집중하게 만들어, 국민들이 역사적 진실과 본질을 바로 보지 못하게 하고, 국민들의 원망하는 에너지를 흡수하는 것 같이 보였다. 굉장히 깨끗한 줄 알았던 정치인들에 대한 국민들의 실망이 거듭되는 것을 보면서, 그것이 단순히 그 인물들의 부도덕함만이 문제인 것인지 의심이 갔다. 그리고 나를 돌아보면서, 하늘 아래 한 점도 부끄럽지 않게 살아가기는 어려웠던 현실에 대해서 생각해 보았다.

어디까지 적응해야 하고, 어디까지 저항해야 하나.

우리는 상처가 많다.

불합리한 질서에 적응해야 생존이 가능했던 시간을 보낸다.

그런 시간에 익숙해져가며,

부정에 대한 둔감함이 자리 잡는다.

도덕보다는 생존이 우선한다는 생각은 어렵지 않다.

타인의 도덕에 대하여 쉽게 비난하고,

품평하는 사람들은 어쩌면 운이 좋은 사람들인지도 모른다.

생존 앞에 갈등할 정도로 삶이 어렵지 않아서

너무도 당연히 도덕을 선택할 수 있는지도 모른다.

나 자신을 속이며 세상에 적응할 수밖에 없었기에

자존은 언제나 위협받는다.

그리고 그런 그가 오랜 시간이 흘러

세상의 평가를 받는 순간이 온다면

과거의 어떤 부도덕 때문에

비난받고 퇴출 될지도 모른다. 악순환이다.

이것은 개인의 탓인가,

사회의 탓인가, 국가의 탓인가.

생존을 성공으로 바꾸어 생각해 본다면

가난한 이 뿐만 아니라,

대부분의 인생으로 확대할 수 있을 것이다.

도덕을 생각하는 사람이라면

기존의 어두운 질서에 대한 순응과 저항은

갈등을 만들 수 있다.

세상은 개인의 탓에 무게를 많이 두며 비난하지만,

실상은 세상의 질서가 바르게 되어있지 않기에

그런 점이 더 크다고 생각한다.

힘이 외부에 있기 때문이다.

뒤늦게라도 나를 바로 세우고,

도덕에 대한 예민함을 구출해낸다면

이제는 다른 방식으로 삶을 진행해야 한다.

내가 그것을 따르는 것이 아니라,

새로운 질서와 미래를 만들어가야 한다.

내가 다음 대통령이 될 가능성이 있다면, 어느 정당에 속해서 뜻을 펼칠 것인지에 대해서 고민해야 했다. 나의 정치관은 무엇인가. 보수와 진보의 면을 모두 갖고 있다면, 현재 대한민국의 문제를 해결하기 위해서 어떤 면을 강조해야 하는 것인가. 어떻게 근본적으로 대한민국의 문제를 해결할 것인가. 현 정부에 반대하는 이들 중에는 자유를 잃었다고 호소하는 사람들이 많았다. 통일에 관해서도 적화통일과 대한민국의 공산화를 걱정하는 이들이 많았다. 그들이 자유를 잃은 이유는 무엇인가. 국가의 법적 통제가 강해져서이다. 왜 통제가 강해졌는가. 사회질서가 바로 잡히지 않아서, 부패한 사회에서는 생산성을 갖기 어렵기 때문이다. 그들은 문제 해결을 위해서 법을 강력하게 추진한 것이다. 진정한 독립을 이루지 못하여, 현실적 제약이 많은 현재의 사회에서는 법으로 인간들을 통제함으로써 질서유지에 힘을 쓰는데, 그럴수록 법은 더욱 인간들을 경직시킬 수 있겠다는 생각이 들었다. 모든 전쟁을 끝내고, 진정으로 독립한다면, 힘을 내부에 둘 수 있어, 자유로운 인간의 리더십으로 질서를 바로 세울 수 있기에 법적인 제제가 과해지지 않을 수 있다고 생각했다.

또한 현재 국가가 죄인들을 강력하게 처벌할 수 없는 이유는 국가의 질서가 바로 잡혀 있지 않기에, 아무 생각 없이 사회 적응과 생존을 위해 불합리한 사회질서를 따르는 사람들의 억울한 면도 참작한 것이 아닐까 하는 생각도 들었다. 사회질서가 바로 잡힌다면, 죄에 대해서 법을 집행할 때도 강력하게 집행할 수 있겠다는 생각이 들었다. 그렇게 사회질서는 점점 더 바르게 설 수 있을 것이다. 그래서 평등보다는 자유를, 통일이라는 성장 동력과 진정한 독립에 무게를 두어야겠다는 생각이 들었다. 진정한 자유가 올 때에 진정한 평등도 있으며, 성장 동력을 확보하여 파이를 키웠을 때에 더 잘 나눌 수 있겠다는 생각이 들었다.

법이 많아지는 사회

법이 많아지는 이유는 무엇인가.

법이 촘촘해지면 도적이 많아진다는데

한국 현실에 적용할 수 있나.

법의 역할은 사회질서를 유지하는 데 있다.

인간의 리더십에 의해서

자연스러운 질서가 일어나지 않는 사회에서는

법으로 강제하는 것이 더 필요할 수 있다.

법을 많이 만들 수밖에 없는 사회는 슬픈 사회다.

현시점에서는 법이 많이 필요할지도 모른다.

질서가 제대로 잡혀있지 않기 때문이다.

하지만 그것이 만능이자 이상이 될 수는 없다.

그것은 인간의 자유를 억압하고

삶을 경직되게 만들지도 모른다.

법망이 촘촘하게 기능하지 않아도

사회의 질서유지가 잘 될 수 있어야 한다.

그것은 사회를 변화시키는 사람이 가능하게 한다.

그래서 결론은 또다시

전쟁의 종결과 진정한 독립의 문제로 넘어간다.

사회가 인간의 자발성에 의해 자연스럽게 변화하는 사회.

법과 도덕을 강조하지 않아도

바른 질서가 유지되는 사회를 바란다.

그렇다면, 자유를 더 중시하는 나는 양당 중에 보수우파 정당에 몸을 담아야 하는가? 기존의 보수정당은 구질서의 잔재를 극복하기 힘들며, 미국과 일본을 추종하는 역사를 가진 사람들이 많을 것이라고 생각했다. 또한 한 쪽에 치우쳐서는 국민 모두를 아우를 수 없지 않겠나. 내가 길을 만들지 않고, 이미 존재하는 체제에 속하는 것이라면, 나의 뜻을 펼쳐 정치를 하기에는 어려울 것이라는 생각이 들었다. 나는 자유를 원했고, 통일을 원했다. 양당에서 가장 중요한 가치로 주장하는 두 가지 과업을 동시에 해결하고, 국민들을 통합하기 위해서는 새로운 세력이 필요하다는 생각이 들었다. 언젠가 성당에서 '새 술은 새 부대에 담아야 한다'는 성경 구절을 접하고 몸이 진동한 것을 기억하며, 진정으로 국민들을 위한 길은, 주도세력의 교체로 완전히 새로운 세력이 등장해야 한다는 생각이 들었다. 그것이 자주성을 중시하는 북한과의 통합을 위해서도 좋을 것이라는 생각이 들었다.

정치인의 어려움

한국의 정치인이란

제대로 하려고 하면 고통스러운 직업일 것이다.

그래서 자기보호 차원에서 방만해지는지도 모른다.

처음에 유능한 정치인은

애국심으로 대한민국의 문제를 파고들어갔을 것이다.

근본 원인과 해법을 추적하면 할수록

모든 문제는 남북 분단 때문이며,

해법은 통일이라는 것을 머리로는 알게 되었을 것이다.

하지만 통일이라는 것이 국제정세상

너무나 어려운 과업이라는 것을 알게 된다.

그것은 노력으로 가능한 범위를 벗어나며,

때로는 목숨을 걸어야 하고,

그런 희생으로 달성될 수 있을지도

미지수인 문제였던 것이다.

문제라는 것은

일정한 노력을 기울여 해결해 나갈 수 있다면

문제를 피하지 않으며,

정치인들도 문제 해결에 자신감을 가질 것이다.

하지만 개인이 뜻을 펼쳐 진정한 정치를 하기에는

외부의 지나친 힘과

분단이라는 너무 큰 장벽이 가로막고 있기에

그 괴로움을 견디지 못해

진정한 문제를 직시하지 못하게 되고

피상적인 해법들로 국민들을 실망시켰을 것이다.

한국의 정치인들이 무능하다기보다는

어찌할 수 없는 현실적 문제가

너무나 거대했기 때문이라고 생각한다.

그런 악조건에서도 각자의 신념을 갖고

정치 현실에 용기 있게 뛰어들었다는 점에서

그들이 대단해 보인다.

국민들은 한국의 정치가 후진적이라는 말을 많이 해왔다. 나는 정치에 뜻을 갖고 있기에 정치인들의 입장에 더 이입을 할 수 있었다. 그들이 진정 무능하기 때문에 그런 평가를 받고 있는 것일까. 그들이 처음부터 그랬을까. 문제의 본질을 파헤치는 습관이 자리 잡은 나로서는, 한국 정치의 문제는 단순히 정치인 개인의 역량 문제라기보다는 구조적인 한계가 크기에 어려움이 있을 수밖에 없다는 생각이 들었다. 남북이 분단되어 있고, 전쟁을 끝내지 못하여, 강대국에 종속적인 입장에 머무를 수밖에 없는 국가 현실에서는 뜻을 펼치고 진정한 정치를 하는 것이 고통스럽고 어려울 것이라는 생각이 들었다. 70년이 넘는 시간 동안 생존을 위협하는 열악한 전시상황과도 같은 현실 속에서 정치를 펼쳐온 그들이 대단해 보였다. 국가위기의 문제를 해결할 수 있는 해법은 이미 다 나와있고, 그 생각을 실현시키지 못하는 현실적 제약 때문에 가로막혀 있다는 생각이 들었다.

그날은 마땅히 올 것이다.

한국에서 살면서 상상력과 창의력을 지켜나가는 데는

많은 어려움이 있었다.

정신과 약을 먹음과 동시에 나의 상상력과 창의력은

표현해서는 안 되는 헛된 것으로 여겨지는 경우가 많았다.

주변 사람들을 탓하고 싶지는 않다.

사회 질서가 그러하기에 그에 적응한 것뿐일 것이다.

상상력과 창의력은 사회의 변화를 이끄는 힘인데,

그런 변화 자체를 막고 있는 사회라는 생각이 들었다.

특히 진실을 보려는,

정신병을 가진 사람들의 잠재력은 무시하고

엄청난 부적응자, 낙오자, 잠재 범죄자 식으로

몰아가는 경우를 많이 보았다.

그래서 숨길 수밖에 없는 상처였다.

게다가 우리는 수능시험 준비를 오래 하면서

빠르게 문제를 푸는 것에 길들여져

여유 있게 가만히 들여다보고

스스로 골똘히 생각하는 것이 힘들게 되었고,

일자리 부족으로 생계의 문제를 안고 있어

자존을 지키고 꿈꾸고 상상하며 살아가기가

더욱 어려워지는 것이었다.

교육 자체가 종속적 역할을 하기에

적합한 교육이었기 때문이다.

이 모든 슬픔의 근원은

힘이 외부에 있어 주인 되지 못한 노예적 상황일 것이다.

전쟁을 끝내지 못하여 불안 속에서 그에 대비를 해야 하고

진정한 자신을 직시하기 어렵게 만드는

불안정한 사회 때문일 것이다.

전쟁이 끝나기 전에

근본적으로 교육제도가 바뀌기는 어렵다고 생각한다.

이념과 사상의 자유가 도래하고

국가의 진정한 주인이 될 때

상상하고 창조하는 삶이 활발해질 것이라고 생각한다.

그날은 마땅히 올 것이다.

한국에서 창의적인 사람으로 살면서 창의성과 상상력을 발휘하며 살기 어려웠던 경험을 글로써 정리하고자 하는 충동이 생겨났다. 창의성에 관해서 오랜 시간 동안 관심을 갖고 연구해 온 나로서는 현재의 시스템으로는 4차 산업혁명 시대에 가장 중요한 창의력과 상상력을 펼치며 살아가는 것이 어렵다는 생각을 했다. 창의성과 상상력에 가장 중요한 것은 주인의식이기 때문이다. 진정한 독립으로 국가의 주인이 되어야 덕성을 회복하여 진정한 창의가 가능할 것이라고 생각했다. 자신을 있는 그대로 직시하고, 한국의 역사를 진실하게 직시할 수 있어야 했다.

욕망의 휘발성

무언가를 원하고 꿈이라고 말한다.

참으로 거창한 꿈이다.

그리고 이후 그 마음은 사라져 잊게 된다.

내가 거짓말쟁이가 아닌가 의심하게 된다.

그 순간에는 진실이었는데.

나는 거짓을 말했던 것인가.

그것은 타인의 마음을 내 것으로 여겨

사용했기 때문이 아닌가.

그 타인의 마음이 내 안에 의미가 되고 울림을 준다면

그리고 그 여운이 지속되는 동안에는

나는 그것을 원하고 욕망한다.

하지만 시간이 지나면

그것은 잊히고 욕망은 휘발되어 버린다.

그리고 또다시 잊힌 욕망을 자극하는

무언가를 접하고 욕망을 내 것으로 소환해낸다.

간절히 원하는 강한 욕망으로

결과를 이루는 상식적 방식을 생각한다면

믿음직해 보이는 모습은 아니다.

하지만 나는 안다.

아직은 어렴풋한 도에 대해서.

욕망하지 않을 때 어떤 귀결로서 만들어지는 현상이

존재한다고 말이다.

이래서 죄책감을 느꼈나 보다.

나는 거짓말쟁이가 아니다.

　큰 뜻을 세상에 펼쳐놓고, 아무것도 바라지 않는 마음을 갖고 있는 나에 대해서 생각해 보았다. 나는 거짓말쟁이인가? 통일과 세계 평화가 꿈이고 바람이라고 주장해놓고, 아무것도 바라지 않는 그 마음은 무엇인가. 큰 성취를 이미 이루었다고 생각했고, 미래는 예정된 것이라는 믿음 때문인가. 아무것도 바라지 않지만, 의지를 갖고 행동하게 만드는 힘은 모순된 것이 아닌가. 나는 도덕경에서 그 힌트를 얻을 수 있었다. 타인의 마음을 내 마음 삼아 쓴다는 것이다. 하나의 덩어리로 마음이 통합된 이후로는 어떤 강력한 의지보다는 타인의 강력한 마음에 내가 발동될 때, 그 여운이 남아있는 동안에 행동을 취할 수 있다는 생각이 들었다. 그리고 기억의 여운이 사라진 후에는 내가 거짓말쟁이처럼 여겨지면서 이상한 죄책감이 드는 것이었다. 강한 욕망이라는 것은 지속적이기 마련인데, 나의 행동은 순간적이거나, 의무적인 성격이 더 컸던 것 같다. 이런 독특한 내면의 상태를 가지고 있기에 국민들에게 오해를 사기 쉽겠다는 생각도 들었다. 마음이 무덤덤하고, 아무런 마음이 없는 것 같이 멍해 보인다. 이 사람은 국민들을 위하고 사랑하는 것인가? 가끔씩 국민들과 역사에 대한 어떤 자극과 생각으로 인해 오열하는 자신을 발견할 때마다, 내 마음은 어딘가 숨겨져 있는 것이지, 국민들과 국가에 대한 사랑이 없는 것은 아니라고 생각했다.

3. 코로나 바이러스

코로나 바이러스 종식을 위한 해법을 구하다

 코로나 바이러스로 인해 전 세계가 고통받고 있었다. 처음에는 중국에서 시작되었지만, 한국에서 확산되더니 결국 전세계로 널리 퍼졌다. 처음에는 한국에도 확진자가 많아서 걱정이 많았지만, 정부의 강력한 대응과 의료진들의 희생, 국민들의 높은 의식수준으로 빠르게 안정되어 갔다. 결국 한국은 전 세계에서 코로나 바이러스 대처를 잘하는 모범국가로서 위상을 높일 수 있었다. 한국의 코로나 상황이 나쁠 때에는 마음이 너무 불편하여 열심히 기도를 했다. 그 무렵, 격암유록을 보았는데, 말세의 심판으로 전염병이 유행하고,

한국이 전 세계의 피난처가 된다는 내용이 담겨있어 놀랐다. 더욱 놀란 것은 진인이 전염병 시국을 종식시킬 수 있다는 내용이 있었다. 스스로 진인이라 생각한 나는 어떻게 하면 전염병을 종식시킬 수 있는지 자료를 검색해갔다. 진인의 의통으로 코로나를 종식시킬 수 있다는 내용이 있었다. 의통이란 무엇인가. 간절한 기도인가?

문득 내가 심연의 경험을 기록했던 이야기의 내용이 떠올랐다. 심연의 존재에게 들은 바에 의하면 내가 히틀러이고 살인귀이며, 사람을 죽였고, 내 생각으로 3차 대전이 일어날 수 있다는 내용이 있었는데, 전염병을 전쟁으로 본다면, 마치 내가 세상에 전염병을 불러온 것이 아닌가 하는 생각에 괴로워했다. 이것은 참으로 이상한 생각이었지만, 전염병이 하늘의 심판적 성격이 있다면, 하늘과 강하게 연결된 나의 의지가 반영될 수 있겠다는 생각이 들었다. 하지만, 나는 세계의 멸망과 악의 심판을 바란 적은 없었고, 전염병의 가능성에 대해서 상상해 본 적이 없었다. 다만 한국 내부에 강한 힘이 생기고, 독립적으로 우뚝 설 수 있는 통일을 기원하고, 더불어 세계 평화를 바란 것뿐이었다.

처음에는 전염병 자체에 대해서 절망적으로만 생각했지만,

증산도 예언과 격암유록 예언을 찾아보고, 전염병이 하늘의
의지를 실현하여 준비되고 있는 큰 전쟁을 막을 수 있다는
내용에 주목했다. 인류 멸망의 핵 전쟁을 막기 위해서 작은
전쟁이 벌어졌다는 것이다. 점차적으로 미국의 피해가 커졌
는데, 한국을 지배하고 있는 미국의 힘이 약화되어, 미군이
철수할 수 있다는 내용의 예언을 보고, 긍정적으로 생각하
기도 했다. 진정한 주권을 갖는 것이 국가를 부강하게 만드
는 가장 중요한 일이기 때문이다. 하지만 시간이 흐를수록
그 피해는 커져갔고, 나는 점점 두려움과 죄책감을 느꼈다.
나의 정신적 힘과 의지가 하늘의 심판에 영향을 줄 수 있을
까. 한편으로는 모든 것은 나의 상상일 뿐인데, 나에게 그런
힘이 있다고 믿기는 어려운 것이었다. 인터넷에서 초인의
의지가 무기가 될 수 있다는 히틀러의 예언을 잠시 접했지
만, 그것을 믿기는 더욱 어려운 일이었다.

국방개혁연구소 블로그

언제나 세계의 근본 질서 파헤치기를 염원했던 나는 한 블로그를 알게 되었다. 국방전문가가 운영하는 블로그였는데, 글들을 읽고서 엄청난 충격을 받았다. 6.25전쟁이 북한의 단독적인 판단하에 일어난 남침이 아니라, 강대국들이 의도한 국제전에 남북한 국민들이 희생되었다는 것이었다. 언론이나 교과서에서도 미국은 한국을 지켜주는 우방으로만 생각하도록 교육받았는데, 충격적인 내용이었다. 나는 그 내용이 엄청난 진실이라는 것을 본능적으로 알게 되었고, 한동안 큰 충격으로 혼란을 겪었다. 내가 생각했던 것보다 한국에 대한 미국의 지배력 큰 것을 알게 되니, 많은 국가적 상황들을 이해할 수 있었다. 미국은 2차 대전 이후부터, 전쟁을 통해서 세계의 패권을 유지해나가고 있었다. 그것이 설사 세계의 경찰국가로서 세계 평화와 질서유지를 위한 것일지라도, 그들의 제1산업은 군수산업이었고, 돈과 무력을 이용해서 세계를 다스리고 있었던 것이다.

인터넷에서 각종 예언 내용을 보면서 '황백 전환기'에 대해서 알게 되었다. 그 내용은 서구의 패권이 동양으로 넘어온다는 것이었다. 1984년에서 1985년이 될 무렵, 한반도에 떨어진 수많은 별들에 대해서 많은 이들이 주목했는데, 그것은 한반도에서 태어난 인재를 상징하고, 전쟁 무기를 무력화 시키는 평화탄의 역할을 한다는 예언도 있었다. 그래서 미국도 관심을 가지고 있었다고 했다. 미국에는 패권 유지가 가장 중요할 것인데, 한국이 세계의 중심국이 된다는 수많은 예언을 무시하기는 어려웠을 것이다. 당시 한국을 지배할 수 있었던 미국은 한국에서 위대한 지도자가 탄생하지 못하도록 한반도를 분단시키고, 서로 싸우게 만들 수 있었겠다는 생각도 들었다. 결국 나의 존재 때문에 한민족이 그토록 고통받았던 것일까. 한국에서 여성, 정신병자, 천재, 덕성 있는 사람 등등 나로 상징되는 여러 가지 면을 갖고 있는 사람들이 나로 인해 함께 고통받았을 수 있다는 생각에 마음이 불편했다..

하지만, 분노는 이내 사라졌다. 나를 죽이려 했던 존재를 깨달아도 그 분노의 감정은 오래 지속되지 않았다. 그리고 통합적이고 발전적으로 승화할 수 있는 방법을 찾았다. 어둠이 있었기에, 빛이 있었다는 생각을 해 보았다. 역사적 상황은 변화할 수 있고, 이제 한반도 평화라는 역사적 흐름에 순응하는 그들은 우리의 파트너인 것이다. 분노와 갈등은 용서하는 주체로 인해 종식된다는 생각을 갖고서, 국민들과 전 세계의 통합을 위해 과거가 아닌 미래로 향하고자 했다. 분단이 있었기에, 그에 대한 적응으로 소중한 이야기가 탄생할 수 있었다. 나의 이야기가 한반도 평화 국면에 결정적인 역할을 했다면, 나에게 빛과 어둠을 통합시키는 사명이 부여되었다는 생각이 들었다. 하늘이 나에게 이러한 여정을 준 것은 빛과 어둠을 화해시키기 위한 것이고, 그런 일을 해내지 못하면 세계 평화에 다가가기 어렵다는 생각을 했다.

건강의 악화와 회복

온 세계에 코로나 확진자가 늘어갈수록 그에 대해 책임감을 느꼈고, 스트레스를 많이 받을수록 건강은 나빠져갔다.

처음에는 턱관절에 통증이 생겨서 치과에 갔는데, 음식을 한쪽으로 씹은 것과 스트레스 때문이고, 큰 문제는 없으니 약을 일정 기간 먹으면 나을 것이라는 말을 들었다. 그렇게 며칠간 약을 먹었는데, 약의 부작용으로 응급실에 실려갔다. 감사하게도 구급차에 의해 위기를 넘겨 도착한 병원에서 안정을 취한 후, 집으로 돌아왔지만, 다음 날 신경통이 찾아왔고, 또 다른 약물 부작용으로 시야가 흐려지는 증상 탓에 공황증상이 찾아왔다. 살아오면서 정신과 약물 외에 부작용을 경험해보지 않았는데, 턱관절은 머리 쪽 신경에 닿아있어서 약이 예민하게 작용할 수 있겠다는 생각이 들었다. 한의원에서 침을 여러 번 맞으니, 신경통의 증상은 점차 사라졌다. 한의사는 나에게 침을 놓으면서, 젊은 사람이 그동안 무슨 스트레스를 이렇게나 많이 받았냐며 놀라워했다. 의사는 앞으로 스트레칭을 꼭 하고, 스트레스에 주의하라고 하였다. 하지만 모든 치료를 마쳐도, 여전히 시력이 흐려 보이는 것이었다. 처음에는 침술의 부작용인지, 턱관절의 증상인지 염려했으나, 안과에 찾아갔고, 안구건조증 진단을 받았다. 나의 상태에 대해 걱정하며 물으니, 의사는 별일 아니고, 시력이 좋아서 괜찮다며, 안약을 처방해 주었다.

이 모든 건강을 위협하는 근본 원인은 운명적 책임감에 스마트폰으로 너무 많은 자료를 찾아보고, 그동안 국가와 세계적 문제에 골몰하면서 스트레스를 많이 받은 탓이라는 결론을 내렸다. 건강이 나빠지자, 내가 그동안 건강을 소홀히 했다는 생각이 들었다. 그동안 너무 건강했기에, 몸에 신경을 크게 쓰지 않고, 무리를 준 것이었다. 나의 꿈과 운명에게 미안해졌다. 그동안 내가 이어 온 큰 꿈은 진지한 것이 아니었나. 건강을 잃으면 모든 것을 잃는 것인데, 나에게 그 꿈은 되는대로 진행하는 그런 하찮은 것이었나. 국민들에게 죄송한 마음이 들었다. 건강이 나쁜 상태로는 엄청난 스트레스를 동반하는 국가 리더의 업무를 하기 힘들 것이라는 생각이 들어 걱정했다.

내가 그토록 스트레스를 많이 받았던 또 다른 이유 중 하나는 박근혜 전 대통령이 탄핵되는 과정에서 그녀와 같이 공주 같은 스타일의 리더십에 엄청난 공격이 가해졌던 것을 기억했기 때문이기도 했다. 왕당파 유형의 리더십과 공화파 유형의 리더십이 다른 것인데, 모두를 만족시키려고 내가 무리한 것이었다. 박근혜 대통령이 법을 어긴 것은 잘못된 것이지만, 실무적이고 행동적이지 못한 모든 스타일이 잘못된 것은 아니라는 생각이 들었다. 리더에게는 드러나고 눈에 보이는 활동만 의미 있는 것은 아니기 때문이다. 하지만, 나는 길을 열어가는 국가적 방향 설정뿐 만이 아니라, 스스로 지식적이고 분석적인 능력까지 완벽하게 겸비해내야 한다고 생각했다. 나 혼자서 경제의 맥을 파악하려 덤비고, 역사의 맥을 파악하려 덤비고, 그런 과정에서 충분히 대화 나눌 사람도 없이 마음에 상처를 많이 받았기에 더 힘들었던 것 같다.

건강이 더욱 악화된 것은 의사선생님에게도 은밀한 생각에 대해 말하지 않으려고 하여 스트레스가 더욱 가중된 것이기도 했다. 나는 의사선생님에게 털어놓는 것은 보호자에게 일러주는 것 같이 나약한 모습이라고 생각했다. 나는 더 강해져야 한다고 생각했다. 내 고유의 생각들에 누군가의 확인을 받는다는 것은 독립적이지 못한 모습이라고 생각했다. 생각이라는 것은 비밀을 간직하고, 내 안에 머물러야 내적인 힘이 되는 것인데, 정신건강을 위해 모두 낱낱이 발설한다면, 내적인 사고의 힘을 지키기 어렵다는 생각을 했다. 하지만 의존의 가치를 무시한 것은 잘못이었다. 적당한 의존이 있어야, 더욱 건강하게 독립적인 태도를 지속해 나갈 수 있다는 것을 뒤늦게 깨달을 수 있었다. 나는 의존과 독립은 하나라는 어느 국민의 조언을 떠올렸다. 강해지기 위해서 고독을 향할 것이 아니라, 재난 같은 고독은 운명처럼 주어지는 것이기에, 그 고독에 맞서기 위해서는 적당한 사랑과 의존이 필요하다는 것을 알게 되었다.

나는 이제 건강에 좀 더 신경 쓰기로 마음먹었다. 내 나이 37세이면 노화가 시작될 나이이기도 했던 것이다. 아침마다 국민체조를 시작했고, 아르바이트 회사에 오고 갈 때, 고요하게 걸으며 운동할 수 있는 산책길도 알게 되어 걷기 운동 시간을 늘렸다. 한쪽으로 매던 가방도 양쪽으로 매도록 바꾸었다. 그리고 가습기를 틀기 시작했고, 양쪽 치아로 음식물을 씹으려고 했다. 또한 턱에 무리가 가지 않게 밥을 천천히 먹기 시작했다. 이 모든 것은 너무 열심히 하고, 급하게 빨리 진행하는 것에 적용된 정신과 신체 때문이라는 생각을 했고, 천천히 생활하고, 삶에 여백을 충분히 두어 고요하게 깊이 생각하며 살아가자는 생각을 했다.

눈과 턱의 건강이 나빠졌지만, 점차 회복되면서, 오히려 잘 되었다는 생각도 들었다. 스마트폰으로 내가 원하는 정보들을 끝없이 찾고, 그 쾌감으로 오래 즐길수록, 스스로 생각하는 시간이 줄어들고, 사고력이 떨어질 수 있겠다는 생각이 들었다. 스마트폰 사용시간을 제한함으로써, 좀 더 주체적인 사고를 할 수 있는 것이었다. 또한 턱관절에 대한 주의로, 불필요한 말을 줄임으로써 품위를 생각할 수 있었으며, 침묵의 가치를 더욱 소중히 할 수 있게 되었다.

내적 충동으로 탄생한 글들

건강이 나빠지니, 나의 한계를 인정하지 않을 수가 없었다. 오랜 시간 내 안에서 떠올랐지만 참고, 참았음에도 세상으로 나오려던 생각들이 어느 날 아침, 자고 일어나자마자, 강하게 내 안에서 튀어나왔다. 내가 아픈 입장이 되니, 하늘에 의지하려는 마음이 커졌고, 이런 상황에서 하늘이 이끄는 명령을 거부하기는 더욱 힘들어지는 것이었다. 용기란, 외부의 강대한 적보다 내면에서 나의 목숨 줄을 쥐고 있는 강력한 힘에 복종하는 것이라는 생각이 들었다. 실제로는 겁이 많지만, 결과적으로 보이는 모습은 용감해 보이는 것. 생명이 고갈되는 것을 알면서도 내면에 복종할 수밖에 없는 것.

이것이 내가 이해한 용기의 실체였다. 나는 내면의 강력한 의지에 따라, 덕을 지켜나가는 것이 리더의 가장 큰 책임이며, 거대한 힘은 소유하기 힘들다는 글을 블로그에 공개했다. 그것은 몇 달 전부터 내 안에서 조금씩 자라났던 생각이었고, 경험으로 알게 된 고백이었다. 코로나 바이러스를 종식시키기 위해서 의지와 노력으로 무리하게 기도했던 행동이 오히려 나를 파멸시킨다는 것을 깨닫고 쓴 글이었다.

힘에 대해서

거대한 힘이란 소유할 수 없는 것이다.

소유하는 즉시 자신을 파멸로 몰아갈 것이다.

그 힘을 이용하고 제어하려고 한다면

오히려 역풍을 맞을 것이다.

진정한 힘을 다스리는 방법은 무엇인가.

힘에 대해 자각하지 않는 것이다.

자신이 힘의 통로로서 사용되도록 내버려 두는 것이다.

언젠가 나만의 길이 다음 단계를 이끌 때

순진무구한 정신으로 순응하는 것이다.

내 안에 아직 남아있던 욕심이 나를 죽인다.

큰 힘에는 큰 책임이 따른다고 하지만

내가 해야 할 일은 맑은 정신으로 내 몸에 집중하는 것.

길을 알아차리는 정신을 유지하는 것으로 충분하지 않은가.

소유하지 않음으로써 소유할 수 있고

믿지 않음으로써 믿게 되는 현실은 무엇이 만드는가.

어찌 보면 무관심하고 무책임해 보이는

무소유적 정신이 나를 살리고 세상을 살린다.

이런 정신을 이어나갈 수 있게

나를 낳아준 하늘에 감사해야 한다.

하늘이 거대한 힘을 한 개인에게 허락할 때는 소유하려는 마음이 없거나, 적을 때, 가능하다는 생각에서 비롯된 글이었다. 개인이 거대한 힘을 소유하여, 의지대로 사용하려고 한다면, 자신을 파괴하고, 세계를 파괴하는 길이 될 수도 있기 때문이다. 개인에게 주어진 그 힘은 의지대로 사적인 것에서부터 모든 것을 가능하게 하는 그런 힘은 아니라는 생각이 들었다. 때와 상황에 맞게 공적으로 활용될 수 있도록, 문제 상황이 의지를 만들고, 섭리에 따라서 점차적으로 발휘되는 것이 거대한 힘이라는 생각이 들었다. 도를 체득한 개인은 마음대로 힘을 행사할 수는 없으며, 하늘의 이끄심이 있을 때, 의지를 갖고 힘을 행사할 수 있도록 인도된다는 결론을 내렸다. 거대한 힘에 대한 부담감에서 비롯된 글이기도 했다. 또한 이 글은 내가 코로나 국면을 의도하지 않았다는 것에 대한 글이기도 했다.

덕에 대해서

리더에게 가장 중요한 능력은

덕의 능력이다.

길을 열어가는 안내자의 역할이기 때문이다.

덕은 신과 소통하는 능력이라고 하는데

덕을 유지해나가는 비결은 무엇인가.

용서하고 포용하는 것이다.

분별하고 시비를 따지지 않는 것이다.

큰 책임을 생각하기에

옳고 그름과 이익을 따지고

분별하고 판단하려는 정신이 사람을 멀어지게 하고

연결되지 않은 정신은 덕의 충만함을 잃어버린다.

덕을 유지해나가는 것이 큰 책임을 실현하는 길이다.

가난한 이는 용서하고 포용하는 것이

생존에 자연스러워 덕에 가까워지고

부자는 선택 가능하기에 갈등할 수 있고 어려워진다.

나는 덕에 대한 생각을 지속하면서, 덕을 유지하고 지켜갈 수 있는 비결은 싸움을 피하는 데 있다는 것을 깨달았다. 큰 에너지의 사람이 표현을 아끼고 신중하지 않는다면, 살면서 의도와는 다르게 사람들과 갈등을 겪을 일이 많이 생긴다. 에너지가 너무 강하기 때문에, 단지 자기주장을 하는 것만으로 상대에게 큰 상처를 줄 수 있는 것이다. 그래서 큰 에너지의 사람은 싸움을 피하기 위한 전략으로 용서하고 침묵해야 하고, 물처럼 살아가야 하며, 그것이 도와 덕을 가능하게 한다고 생각했다. 도와 덕을 유지해 나가는 것이 가장 큰 책임이라면, 나는 좀 더 언행을 신중히 하고, 용서하며 살아야 한다는 생각을 했다.

국민통합을 위해서

국민이 통합되지 못하는 이유는

여러 가지가 있겠지만

그중 한 가지는 왕당파 유형과 공화파 유형이

이상적이라고 생각하는 리더의 모습이

다르기 때문이 아닐까 생각해 보았다.

왕당파의 성격을 갖는 리더가 권력을 잡으면

일반 국민들은 좀 더 실무적이고

완벽하며 행동적이지 못한 면을

무능하다며 비판하기 쉽고

공화파 성격의 리더가 권력을 잡으면

왕당파 사람들이 기대하는 품격이나 국가의 정신을

상징하고 중심을 잡는 모습의 부족함을 지적하며 비판한다.

분명 두 가지 리더의 강점은 다르다고 생각한다.

한 명의 리더가 두 가지 모습을 모두 가지면

가장 이상적일 것이다.

하지만 일반적인 경우에

그런 모습을 모두 갖추기는 어려워 보인다.

일부 선진국에서는

왕을 따로 두고 총리가 국정을 수행하거나

대통령과 총리를 따로 두어

분권적으로 다스리는 경우가 있다.

왕당파의 리더와 공화파의 리더를 동시에 둠으로써

어떤 유형의 국민도

소외시키지 않는 구조라는 생각이 들었다.

국민들은 대통령이 모든 면에서 완벽하길 바라지만

신과의 소통을 이어가며

큰 그림을 그리는 데 초점을 둔 유형의 리더인지

큰 비전보다는

국민들의 현실 문제 해결에 초점을 맞추는 리더인지에 따라

어느 쪽도 국민 모두를

완전히 만족시키기는 어려울 것이라고 생각한다.

이상 3개의 통찰들을 블로그에 올렸다. 깊은 숙고와 발효의 시간이 쌓여서 빛을 본 통찰들의 인도에 기쁘게 생각했다. 하지만, 글의 내용이 위험한 측면이 있다는 생각이 들었다. 그중, 힘에 대한 글을 다시 생각해 보면서, 거대한 힘을 소유하고자 노력하는 국가의 리더들이 많은데, 그들을 비난하고 반대하는 글 같아서 위험해 보이기도 한다는 것을 깨달았다.

며칠 후, 북한은 남한과 모든 관계를 청산하겠다고 발표했다. 남한이 약속을 저버렸다는 것이었다. 나는 내가 블로그에 올린 글 때문이 아닌가 하며 홀로 괴로워했다. 공식적으로 나는 유명 인사는 아니지만, 나의 감으로는 내가 주목받고 있는 가능성에 근거한 생각이었던 것이다. 북한의 김여정은 남북연락사무소 폭파를 지시했다. 그리고 한국과 세계는 엄청난 충격을 받았다. 나는 엄청난 죄책감을 느꼈고, 내가 올린 글들을 비공개로 바꿨다. 나의 글은 내적 충동에 따른 것이고, 도에 따른 것인데, 세계를 파괴시켰던 것인가. 내적 충동이 길이라는 분명한 확신을 갖고 살아왔는데, 믿음이 흔들리기 시작했다. 지금은 알 수 없지만, 나의 글이 어떤 변화를 이끄는 역할을 했을 것이라고 스스로를 위로했다. 내면이 낭떠러지를 가리키더라도 순진무구한 확신을 갖고 뛰어내려야 하는 것인가. 아무런 의심 없이 하늘에 복종한다는 것은 두렵고 겁나는 일이었다. 나는 이번 일을 계기로 내면의 본능적 명령이 아무리 강렬하더라도, 신중하게 접근해야 한다는 생각을 했다. 그것은 개인의 일이 아니고, 국가와 역사를 위한 것이기 때문이다.

볼턴의 회고록

　남북연락사무소 폭파로 남북 관계가 나빠진 무렵, 미국 정부에서 일했던 볼턴이 회고록을 냈다. 북미관계의 비밀을 폭로하는 내용도 있었는데, 언론화된 메시지는 북미회담이 북한과 미국의 이익을 위한 전략적 협상이 아니라, 남한의 통일 어젠다와 관련된 것이었다고 밝혔다. 즉, 북미회담을 성사시킨 것은 한국의 창조물이라는 것이었다. 북미회담을 시작한 주체는 북한이 아니라, 한국이었다는 것이었다. 오랜 시간, 나의 상상 속에서 생각해왔던 비전의 진실이 언론에 드러나자, 소름이 돋았다. 한국 정부는 회고록에 거짓이 많다며, 해명을 피했다. 회고록에는 문재인 대통령이 조현병적 아이디어를 갖고 있다는 내용도 있었다. 나는 또 한 번 놀랐다. 나의 상상이 정확한 현실이었던 것을 알았다. 사람들은 댓글로 엄청난 비난을 했다. 대통령이 정신병을 갖고 있다며, 그 진위를 알지 못한 채 공격했다. 또한 일본과 미국의 주요 관계자들의 속내가 적나라하게 드러났다. 북미회담이 성공하지 못하도록, 엄청난 방해가 있었던 것이었다.

　나는 건강이 안 좋은 상태였지만, 페이스 북 광고를 다시 한번 개시했다. 내가 조명되었을 때, 얼마나 스트레스를 받을 것인지에 대해서는 고려 사항이 아니었다. 그 길은 나의 운명이고, 너무나 당연한 나의 단계였던 것이다. 지금까지 잘 진행되어 왔던 한반도 평화 국면을 지켜내기 위해서, 국민들의 오해를 풀어주기 위해서, 나는 등장해야 했던 것이다. 그래야 북한이 비핵화할 수 있다고 생각했다. 회고록 공개 즈음과 맞물려 김정은은 남한에 대한 군사조치를 보류하라고 지시했다. 회고록으로 인해 감춰진 진실과 나의 존재가 드러날 수 있기에, 좀 더 두고 봐야 한다는 판단이 있었던 것일까. 참 다행스러운 일이었다.

"너만 죽으면 전쟁 막을 수 있어."

나는 문득 심연에서 들었던 메시지를 떠올렸다. 나만 죽으면 전쟁 막을 수 있다면서 나를 죽이려던 존재들. 그들은 정말로 악의 세력이었고, 나를 죽일 생각이었을까? 처음에는 단순한 생명의 죽음으로 생각했는데, 나의 자아를 죽이려고 했다는 생각이 들었다. 나의 자아가 죽어야 진정으로 하늘의 명령에 복종할 것이기 때문이다. 즉 하늘이 인도하는 대로 낭떠러지라도 뛰어내릴 정도의 믿음으로 행동하기 위해서는 자아가 죽고, 하늘의 조종을 받는 정신으로 거듭나야 하는 것이었다. 내가 세상에 나갈 때가 가까워 올수록, 죽음을 각오하지 않으면 안 되겠다는 생각이 들었다. 즉 이런 심각한 상황에서 세상에 나아가려면, 자아가 죽어야 자연스러운 흐름에 따를 것이라고 생각한 것 같다. 즉, 나를 죽이려던 심연의 존재들은 세계의 평화를 위해서 나를 죽였던 것이었다. 세계의 멸망에서 인류를 구한 것은 인류를 넘어선 존재였던 것이다.

당시 고통 속에서 심연의 존재와 소통하던 중에, 여성적 존재가 메시지로 나를 너무 괴롭게 하여 내가 머리를 심하게 여러 번 때리자, 갑자기 태도를 바꾸며 그러지 말라고 했다. 그녀는 나를 죽이려고 한 것이 아니었을까. 죽어야겠다는 생각을 했을 때도, 놀라면서 그러면 절대로 안 된다는 말을 했다. 그런 고통의 훈련을 통해서 나는 기쁨이나 슬픔, 분노도 생겼다가 쉽게 사라지며, 개인적인 욕망이 적은 상태가 된 것이었다. 즉, 하늘의 명령에 잘 따르는 상태가 된 것이다.

돌아보면, 존재가 하나가 된 후, 처음에는 아무런 책임이나 부담도 없이 비워진 존재로서 아이처럼 생활하며, 지복의 기쁨을 누렸다. 내가 죽고 비워지니, 상대를 내 안에 초대함으로써, 하나를 경험하였고, 사람과 소통하는 것만으로 너무나 행복해했다. 하지만, 나는 앞으로 내가 가져야 할 책임감에 대해서 생각하면서, 분별하고 판단하려는 정신을 다시 되찾기 위해 노력해 온 것이다. 사회에서의 큰 역할을 생각하면서 판단하려는 주체가 조금씩 되살아 난 것이었다. 그로 인한 영향인지, 마음이 혼탁해지기도 했다. 나는 분별해서 책임감을 가지려고 한 것뿐인데, 마음속에 미움이 생겼던 것인가. 세상을 변화시키는 에너지가 큰 내가 완전히 죽지 않고 되살아나서, 세상을 어렵게 만드는가. 그래서 하늘의 원망을 집행하는 코로나 전쟁을 끝낼 수가 없는 것인가 하는 생각도 들었다.

나는 내 생각에 좀 더 주의를 하기로 했다. 의심스러웠던 전자기기 관련 경험들 때문에, 누군가 나를 감시하고 조종하려고 한다는 생각도 가끔씩 들어 마음이 혼탁해지더라도 나는 끊임없이 정화해내야 했다. 다시 희미하게 솟아난 자아의 분별로 세상에 대한 원망과 갈등이 생기기도 하지만, 그것을 없앨 수 없다면, 에너지를 회복하여 긍정적인 가치로 다시 승화해내면 되는 것이었다. 정신은 하나의 흐름이고, 선과 악이 하나이듯이, 사랑과 미움이 하나인 것이다. 나는 부정적 생각에 죄책감을 갖기보다는, 포기하지 않고,

105

그다음 긍정을 향한 추구심을 잃지 말아야겠다고 생각했다.

간절히 기도하면 이루어 진다는 믿음.

점차 심각해지는 코로나 국면의 종식에 책임감을 갖고 생각을 거듭하면서, 심장으로 간절히 기도하면 이루어진다는 정보를 얻게 되었다. 실제로 나의 심연 경험을 돌아보면, 위기 속에서 엄청난 정신과 간절한 기도로 눈물을 흘리며 극복해내지 않았던가. 그것이 미래의 세계를 변형시켰다면, 지금도 그게 가능하지 않을까. 하지만 기쁨도 슬픔도 오래 머물지 못하는 나의 정신과 마음은 노력을 거부했다. 점차적으로 생각을 거듭하는 시간이 쌓이더니, 언젠가 간절하게 온몸으로 전 세계 코로나 종식을 바라는 기도를 할 수 있게 되었다. 나는 눈물을 흘리고, 온 심장을 불태우며 기도했다. 그럴 때마다, 내면에서 여러 번 '너만 등장하면 돼'라고 말하는 것 같은 느낌이 들었다. 그리고 하느님이 허락했다는 느낌을 받았고, 정말로 종식이 될 것 같은 느낌이 들었다. 내면의 느낌이 항상 나에게 직접적으로 도움 되는 힌트를 주는 것은 아니었지만, 꼭 믿어보고 싶다는 생각이 들었다. 하지만 존재가 주는 느낌이 틀렸던 적이 있었던 나로서는 끝까지 확신할 수는 없었다.

코로나의 목적은 무언인가

　내가 등장하면 코로나 전염병도 진정될 것이라는 생각을 해왔기에, 적절한 시점에 내가 세상에 등장해야 한다고 다짐했다. 각종 예언서들의 내용을 알게 되면서, 실제로 가능한 일이라고 생각했던 것이다. 전염병이 하늘의 심판이라면, 하늘의 존재를 증명하는 나의 등장으로, 사람들을 선하게 변화시킬 수 있고, 어쩌면 코로나의 목적을 달성하는 것이 아닌가 하는 생각이 들었다. 또한 코로나 대처에는 면역이 중요한데, 그중 정신의 면역이 특히 중요하다고 의사 선생님은 말씀하셨다. 나의 존재와 여정이 담긴 책으로 사람들을 변화시켜 면역을 높일 수 있다면, 코로나 종식에 도움이 될 수도 있다는 생각도 했다. 물질문명에서 정신문명으로 세계의 축이 이동하는 시점에 들어온 것이라고 이해했다.

코로나 바이러스로 세계 패권을 변화시켜 한국을 우뚝 서게 하고, 하늘의 의지를 실현하는 내가 리더로 부상하기 위해서 나의 존재는 드러나야 하는 것이라고 생각했다. 나의 등장이 코로나의 해법이 아니었다면, 세상이 새로운 질서를 만드는 나의 등장을 허락할 것인가 하는 생각도 들었다. 역사가 나를 통해서 말하고 표현하고자 한다면, 나의 권위를 높일 것인데, 이를 위해서도 자연스럽게 등장할 시점에 코로나를 종식시켜 주는 것이 아닌가 하는 생각이 들었다. 한국이 리더로 우뚝 서는 방법은 외부의 힘이 약화되거나, 내부의 힘이 강해지는 것이라고 생각했다. 전자의 방식은 인류를 희생시키지만, 후자의 방식은 인류를 평화롭게 만든다는 생각이 들었다. 즉, 나의 역사가 드러나서 세계 통합의 불을 밝히고, 국가를 문화의 힘으로 강대하게 우뚝 세운다면, 더 이상 인류가 코로나로 죽는 일이 없지 않겠나 하고 생각했다.

하지만 어떻게 등장할 것인가. 나의 존재가 세상에 등장하기에는 페이스 북 광고만으로는 부족하다는 생각이 들었다. 이미 블로그로 나의 역사에 대해 알고 있는 국민들도 있겠지만, 견고한 사회체제는 변화를 상징하는 나의 등장을 거부하고 있었다. 공식적인 권위의 인정이 없다면, 주목받지 못할 것이고, 등장한다 해도 공격만 받을 것이라는 생각이 들었다. 그래서 다시 한번 10월의 노벨상의 수상을 염원했다. 올해에는 작년과 다르게, 볼턴의 회고록으로 한반도 평화의 주체가 한국인 것으로 공식화되었기 때문에 가능성이 있다고 생각했다. 한반도 비핵화와 통일을 위해서, 모든 전쟁의 종식을 위해서, 코로나의 종식을 위해서 나의 존재가 세상에 드러나길 바랐다. 이런 심각한 역사적 인식 속에서, 그로 인한 부담감은 내가 고통을 느끼더라도 감내해야 하는 문제가 된 것이다.

히틀러 예언과 진정한 무기

믿기 힘들었던 히틀러의 예언에 다시 눈이 갔다. 인류의 멸망을 막는 것은 인류를 넘어선 힘이며, 누군가 초인이자, 신인으로 진화하는 것이 인류가 구원받는 길이라는 내용이 있었다. 그리고 그 신인이 사용하는 무기가 심리 무기이자, 의지 무기인데, 적을 무력화 시킬 수 있다는 것이었다. 처음에 접했을 때는 내가 신인이라고 생각하면서도 그 내용을 믿지 않았는데, 신인의 의지와 창조력으로 미래를 현실화하고 만들어나간다면 가능할 수도 있겠다는 생각이 들었다. 심연에서 존재가 나에게 한 말이 떠올랐다. 그녀는 내가 핵이라고 했다. 단지 나의 역사가 핵의 역할을 하는 것이라고

112

생각했는데, 나 자신의 의지가 핵과 같은 무기가 된다는 것을 알게 되었고, 진정한 능력의 본질에 대해서 각성하게 되었다. 의지를 갖고 무언가를 구하고 답을 찾으며, 미래를 창조하는 힘.. 나 자신이 영화 주인공처럼 무기가 된다는 생각에 두렵기도 했지만, 그것이 인류의 삶을 더 나아지게 하고 평화를 위해 발휘될 수 있다면, 그 또한 하늘의 의지가 반영된 것이 아니겠는가. 이제는 내가 가진 능력의 본질에 대해서 자신감을 가질 수 있었다. 부족하기에 구하고, 해답을 얻으며 미래를 열어가는 힘이 나에게 있었던 것이다. 나는 결코 무능하고 부족하지 않다는 것을 깨달았다.

4. 나를 다잡기 위한 시간

자신감은 좌뇌에서 나온다.

내가 2014년부터 주목해 온 최진석 교수님은 '새 말 새 몸짓'이라는 재단을 설립하셨고, '책 읽고 건너가기'라는 책 읽기 운동 사업을 시작하셨다. 우리 사회가 발전하기 위해서는 개인들이 독립적 주체로 거듭나서 새로운 말과 새로운 몸짓으로 세상을 변화시켜야 한다는 것이었다. 7월의 첫 번째 책은 '돈키호테'였다. 책을 읽지 않은 시간이 오래되어서인지, 그동안 문학 책은 기피해왔기 때문인지, 책이 잘 읽히지 않았다. 최근에 타로카드를 비롯해 상상력을 주로 활용하는 시간으로 우뇌의 활동이 커져서 좌뇌의 활동이 둔화되었음을 느꼈다. 교수님은 책 읽기는 단순히 글의 내용을 파악하기 위한 것이 아니라, 일종의 수련이라고 말씀하셨다. 책 읽기는 좌뇌의 활동을 살리는 일이라는 생각이 들었다. 좌뇌와 우뇌가 조화롭게 기능해야 진정한 능력이라고 할 수 있고, 자신감도 생기는 것인데, 그동안 자신감이 부족했던 것은 좌뇌를 수련하는데 게을리했기 때문이라는 생각이 들었다. 자신감이 확신할 수 있는 힘을 만들어주었다.

교수님은 온라인 글을 통해서 적토성산의 의미를 다시 일깨워 주었다. 쌓는 일만 제대로 하면, 공은 자연스럽게 이루어진다는 것이었다. 그래서 내가 무엇을 구체적으로 어떻게 해서 코로나를 종식시켜야 한다는 생각을 버리고, 꾸준히 수련을 하면서 생각을 정리하고, 깊은 사고력을 연마하는 것이 방법이 되겠다는 생각이 들었다.

돈키호테는 매우 두꺼운 2권의 책으로 이루어져 있었다. 불가능한 꿈을 꾸고 이상을 위해 싸우는 돈키호테에게서 나의 모습을 엿보았다. 글에 나타난 당시 사람들의 품위와 하느님에 대한 사랑을 보면서, 내 마음이 원했지만, 현실 적응을 위해 자존과 기품을 유지하기 힘들었던 나를 위로할 수 있었다. 인간의 본성과 내면적 아름다움에 대한 글들을 보

118

면서, 인간에 대해 좀 더 섬세한 시선을 가질 수 있었다. 책에 나타난 주인공들의 이야기를 보면서 과거의 사람들이라고 어리석기만 한 것이 아니라, 오히려 본질에 가까울 수 있다는 생각도 새삼 들었다. 특히 2권의 후반부에 나오는 통치자에 관한 지혜는 도움이 되었다.

내가 깨닫는 만큼 세상도 변한다

무속인들의 유튜브 영상을 보면서 하늘이 나를 지켜보고 있고, 하늘과 연결된 이들은 나의 생각을 알 수 있겠다는 생각이 들었다. 하늘과 연결된 이들은 무속인 이 외에도 많기 때문에 주목받고 있는 나의 존재를 생각해 볼 때, 세상에 비밀은 없다는 생각으로 바르게 행동해야겠다고 생각했다. 이런 생각은 올해 초부터 시작되었는데, 처음에는 지나친 생각이라고 무시했지만, 점차적으로 이해하게 되었다. 그로 인한 스트레스 또한 커졌다. 그들이 하늘로부터 전달받은 메시지가 얼마나 구체적이고 정확한지 알 수는 없으나, 나의 생각과 행동의 변화로 그에 대응하는 사람들이 다가오는 것은 역사적 측면에서 당연한 일이었다. 내가 깨닫는 만큼 세상이 변화한다면, 직접적인 행동을 하지 않아도, 알고 깨우치는 공부만으로도 세상을 변화시킬 수 있겠다는 생각이 들었다. 복잡하게 생각하기보다는 내 마음속의 하느님, 단 한 분의 시선을 생각하기로 했다.

환단고기

어느 날 문득, 나는 희미한 인도에 따라, 한국의 고대 역사서인 환단고기에 대해서 알아볼 필요를 느꼈다. 나에게 필요한 단계라는 확신이 다가왔고, 정신을 차려보니 환단고기라는 책을 빌리러 도서관으로 향하고 있었다. 환단고기는 한국의 아주 먼 고대사를 기록한 유일한 책으로 한민족의 역사가 고조선 이전에도 수 천 년간 지속되었으며, 과거에 매우 영광스러운 역사를 갖고 있었다는 내용이 담겨 있었다. 또한 인류의 시원 역사로서 모든 인류의 뿌리는 본래 하나였다는 충격적인 내용을 담고 있었다. 교과서에서 배운 역사와 다른 내용이라, 받아들이기 어려운 측면도 있었지만,

국제 사회 안에서 한반도의 현실을 파악한 나로서는 중국의 동북공정이나 일본에서 주입한 식민사관에 의한 역사왜곡에 분노했다. 그동안 배운 역사에서는 한민족의 민족성 자체를 의심하고 비하하는 내용도 있었는데, 근본 뿌리를 알고 나니, 그 기나긴 역사 속에서 살아남은 우리 민족이 대견하고 자랑스러웠다. 한민족은 천손민족이며, 성배의 민족이라는 말을 더욱 이해할 수 있었다.

환단고기를 정리하여 출간한 저자의 다른 책들도 읽어보면서 개벽 상황에 대한 각종 예언들을 모아서 읽어볼 수 있었다. 큰 도움이 되었지만, 그만큼 정신이 아찔해지는 책이었다. 오랜 시간이 쌓이고 쌓여서 오늘의 역사가 만들어졌는데, 온 인류가 염원하는 행복한 결말을 이룰 수 있다는 생각에 안심하기도, 불안해하기도 했다. 예언들에서 힌트를 얻어 미래를 구상해야 했다. 세계가 나에게 부여한 사명이 무엇인지, 상극의 시대를 상생의 시대로 어떻게 만들어 갈 것인지 알아보아야 했다. 앞으로 벌어질 수 있다는 기후변화와 지축의 정립으로 인한 인류의 피해에 대해서도 걱정이 되었다.

아베의 사퇴

8월 말, 일본의 지도자인 아베가 건강상의 이유로 총리직을 사퇴했다는 기사가 나왔다. 많은 국민들이 좋아했다. 한편으로는 아쉬워하는 사람들도 있었다. 그가 진행했던 한국에 대한 수출규제로 한국이 자주성을 되찾고 단합할 수 있었고, 그 반대급부로 일본이 쇠퇴하기 시작했기 때문이다. 많은 국민들은 일본이 한국을 적대시하고, 큰 피해를 입히려 한다고 생각했다. 나는 한국과 북한을 죽이려 하는 존재는 멸망하기를 바란 적이 있었다. 하지만 막상, 아베의 건강 악화 소식을 들으니, 내 생각이 영향을 미친 것은 아닌지, 알 수 없는 심정이 되었다. 나에게 원하는 것을 모두 이룰 수 있는 능력이 있다면, 적을 죽이고 복수하기보다는, 그들이 평화에 순응하기를 염원하는 것이 가장 좋은 해법이라는 생각이 들었다. 그것이야말로 진정한 복수이자, 응징이 아니겠는가. 모든 인류는 근본적으로 연결되어 있기에, 상대가 죽어간다면, 나 역시 마음이 편치는 않은 것이었다. 아니, 어떻게 36년간 그토록 치욕적인 일제시대를 겪은 역사를 두고, 한국인으로서 그런 생각을 할 수가 있었을까. 역사관이 잘못된 것은 아닌가. 역사를 잘 모르는 것이 아닌가. 과거의 끔찍한 역사를 마주할 때면, 무조건 응징하고 처벌해야 한다는 마음이 순간 튀어나오기도 했지만, 곧 평정심은 찾아왔다. 그것은 내 마음이 거의 없다는 것을 증명하는 징표라고 생각했다.

김정은 위원장의 친서

김정은 위원장의 친서가 일부 공개되었다. 위기 때마다 트럼프 대통령과 소통하면서 긍정적인 역할을 했던 친서들이었다. 여러 친서의 일부가 언론에 공개되었는데, 김정은 위원장의 진심과 역사에 대한 진지함이 느껴졌다. 비핵화에 대한 진지함과 두 정상의 진심, 그리고 그런 역사를 가능하게 한 나의 존재에 대해서 생각해 보았다. 그리고 이상하고 신비로운 모든 운명에 대해서 다시 한번 놀랄 수밖에 없었다. 이것으로 국민들의 의구심은 점점 걷혀갈 것이라고 생각했다.

코로나 바이러스의 변이

　매일 전 세계 코로나 바이러스의 전파 상황을 모니터링하면서, 나의 의지와 기도가 세계에 영향을 주기를 바랐다. 사망자의 수는 다소 줄어든 것 같아 보였다. 얼마 지나지 않아 초기에 사망자가 크게 발생했던 유럽에서도 사망자가 줄었다는 기사가 나왔다. 코로나 바이러스가 초기와는 다르게 생존을 위해서 변이했을 가능성이 있다는 것이다. 즉, 바이러스의 전파성은 더욱 강해졌지만, 무증상이나 경증 감염자가 많아졌고, 치사율도 줄어들었다는 것이다. 그래서 정부가 과잉대응을 하고 있다고 생각하는 사람들도 있었지만, 아무

리 치사율이 줄어들었다고 해도 많은 수가 확진된다면 결과
적으로 사망자의 수는 줄어들지 않을 것이라는 생각이 들었
다. 게다가 전 국민이 마스크를 착용하고 있는 와중에 나타
난 자료이기 때문에 더욱 마스크는 벗어서는 안 된다는 생
각이 들었다. 얼마 후 세계보건기구에서도 코로나로 인한
사망률이 줄어들었다는 발표가 나왔다. 바이러스는 생존을
위해서 앞으로도 변이를 할 것이고, 점차 인류가 신경 쓰지
않아도 될 정도의 모습으로 나타날 수도 있겠다는 생각이
들었다. 가슴 벅찬 희망이 느껴졌다.

트럼프 대통령의 코로나 확진

　미국 대선을 한 달 정도 앞두고, 트럼프 대통령이 코로나 바이러스에 전염되었다. 세계 평화를 위해, 한반도 문제와 중동 문제에 큰 결단으로 적극적인 행보를 보이는 그였기에, 다음 대선에 그가 당선되길 바랐다. 다극화를 향하는 세계 역사의 흐름상, 그가 당선되는 것이 자연스럽다는 생각을 했지만, 갑작스러운 코로나 확진으로 인해서 걱정이 되었다. 많은 미국인들도 모든 전쟁의 종결을 바라고 있고, 전 세계의 많은 사람들이 진정한 세계의 평화를 바라고 있는 이 시점에서 트럼프 대통령이 그런 혁명적인 결단을 하게 된 이유를 밝히는 나의 등장이 더욱 절실하다는 생각이 들었다. 그가 단순히 업적으로 주목받기 위해서 견고한 군산 업체와 투쟁하면서 그런 엄청난 결단을 내린 것이 아니라, 하늘에 순종하는 신실한 마음으로 진지한 결단을 내렸다는 것을 많은 사람들이 알아주길 바랐다

건강 위협의 근본 원인은 호흡 때문이었다

나는 올해, 건강상의 문제로 여러 병원에 다녀야 했다. 응급실에 갈 정도로 위급한 상황도 있었고, 끝없이 신체의 여기저기에 문제가 생겨서 건강을 영원히 잃어버리는 것이 아닐까 하는 염려를 느낀 적도 있었다. 나는 이것을 두고, 올해는 코로나와 환경의 변화로 인한 스트레스가 컸기 때문이라고 쉽게 단정해버렸다. 하지만, 곰곰이 생각해 보니, 좀 더 근본 원인이 있었던 것이다. 바로 '호흡'이 문제였던 것이다. 코로나 사태로 인해, 마스크를 오랜 시간 착용하고 생활하면서, 몸에 긴장이 잘 생기고, 불편한 정신 상태를 갖게 된 것이다. 정신건강에 가장 중요한 두 가지는 호흡과 뱃심이라고 의사선생님께 배웠는데, 그 한 가지 축이 무너지기 시작한 것이었다. 약간의 비염이 있었기 때문에 더욱 예민하게 다가온 것 같았다. 처음에는 바이러스 차단이 중요하다는 생각에 바이러스 차단 비율이 높은 방역 마스크를 쓰고 외출했지만, 몸이 저리고, 불편해짐을 느꼈다. 코로나에 대처하는 데에는 정신의 면역이 가장 중요하고, 호흡이 가장 중요하다는 것을 알게 된 이후로, 숨쉬기 편한 분할 면 마스크로 바꾸었더니, 몸이 다시 유연해졌고, 아이처럼 행복감을 되찾을 수가 있었다. 내가 부정적인 생각들과 끝없이 싸울 수밖에 없었던 이유는 마스크로 인해 호흡이 불편했기 때문일 수도 있겠다는 생각이 들었다.

또한 원룸의 환기에 신경 쓰지 않았기 때문에 호흡이 원활하기 힘들었다는 생각이 들었다. 30년 이상 살아온 집에서는 통풍이 잘 되는 구조였기에 환기에 대해서 신경 쓰지 않았었는데, 작년 말에 이사 온 원룸에서는 화장실 문을 열어놓아도, 창문을 충분히 열어두지 않으면, 환기가 잘 안되는 구조였던 것이다. 원룸에 환기가 잘 안되었기 때문에, 정신적으로 불편한 장소가 되었던 것인데, 이곳의 집터 기운이 강해서 나에게 안 맞는 것이 아닐까 생각하기도 했지만, 좀 더 근본적인 원인을 알게 되어 기뻤다. 창문을 충분히 열어 환기를 하니, 원룸에서의 불안은 줄어들었고, 서서히 평화가 찾아왔다.

10월, 노벨상 불발

내가 세상에 드러나는 가장 확실한 방법은 노벨상의 수상이라고 생각하였기에 이번에도 기대를 했다. 하지만, 결국 기대는 실현되지 못했다. 작년에 실망했던 것보다, 혼란스럽지도 충격적이지도 않았다. 그만큼 내가 많이 죽었기 때문에, 그런 것이라고 생각했다. 상을 못 받는다고 해도 역사에 대한 나의 기여가 사라지는 것은 아니며, 여러 가지 정치적인 이유로 인해 수상하지 못할 수도 있다는 생각이 들었다. 게다가, 실제적으로 비핵화를 실현한 것은 아니지 않은가. 어떤 뚜렷한 결과가 없는 상태에서 상을 준다는 것은 어렵지 않나 하는 생각이 들었다. 점점 수상에 대한 집착은 사라

134

져 가는 것 같다. 가능성을 품은 것만으로 충분하지 않은가. 나는 수상으로 세상에 내 책이 널리 알려져서 백신의 역할을 할 수 있다고 생각했는데, 그 기대가 좌절되었으니 다른 길을 모색해야 했다.

내가 여기서 더 이상 어떻게, 무엇을, 할 수 있다는 말인가. 출판사에서는 위험한 존재인 나와 계약하려 하지 않을 것이고, 페이스북 광고로서 활동하는 것이 한계이지 않은가. 다시 도덕경을 보면서 마음을 추슬렀다. 지나치게 하지를 않고, 소박하게 만족하는 것이 미덕이라는 것이었다. 기록된 나의 정신이 이미 과한데, 이것을 지나치게 주장을 한다면, 균형적이지도, 아름답지도 않겠다는 생각이 들었다. 세상이 나의 충격적 진실을 받아들일 수 있도록 충분한 시간을 주어야 한다고 생각했다. 스스로 길을 묻고, 헤맨 끝에, 내가 준비되면, 세상이 나를 부를 것이라는 생각이 찾아왔다. 내가 준비되지 않았는데, 나 좀 알아봐달라고 세상에 소리칠 것이 아니라, 내가 성장하고 더 배우고, 리더로서 준비가 된다면, 세상이 먼저 나를 찾아올 것이라는 생각이 다시 한번 떠올랐다.

5. 새로운 질서

하느님에게 기도하지 말고

특별한 생각이 정신에 희미하게 파고들 때가 있었다. 그런 순간을 나는 의미 있게 받아들이는 편이다. 언젠가 하느님에게 코로나로 인한 해법을 구하고, 길을 묻고, 간절히 기도하고 있었을 때, 어떤 생각이 문득 찾아왔다.

'하느님에게 기도하지 말고, 너에게 권능이 있으니, 스스로 세상을 다스려보라.'

라는 생각이었다. 처음에 이런 생각이 정신에 스며들었을 때는 심각하게 여기지 않았다. 하지만 의미를 각인시키려는 듯, 두 번째로 이런 생각이 나에게 찾아왔을 때는 진지하게 생각해 보려고 했다. 그동안 많은 예언서들에서 말하는 구원적 존재가 나라면, 나의 의도와 의지로 세상을 다스리는 것이 자연스러운 일이 아니겠는가. 하지만, 어떻게 세상을 다스려 나가야 하는 것일까. 단지 내가 바라는 미래를 꿈꾸고, 소망하는 것만으로 충분한가. 무엇이 인류를 위해 바른 길인지를 생각해 보는 것으로 충분한가. 눈에 보이지 않는 정신과 생각으로 세상을 다스려나간다는 것은 시간차를 두고 정확한 결과를 보여주는 것은 아니었기에, 막연하게 느껴졌다. 내가 책임을 느낄 것은 사랑과 평화의 마음을 유지하기 위해 에너지를 충분히 확보하는 것과 바른길을 열어가는 것이 아닐까. 아무리 나에게 권능이 있다고 하더라도, 내 마음대로 세상을 좌지우지할 수는 없다는 것을 알고 있었다. 자연과 조우하면서, 균형을 생각하면서, '더, 더, 좀 더'를 외치기보다는 문제가 있을 때 해결을 염원하는 것. 세상을 좀 더 사랑하는 것. 좀 더 수신에 힘쓰자고 다짐했다. 나는 앞으로 인류에게 닥칠 수많은 위기와 문제들을 잘 해결해낼 수 있을까. 걱정이 되었다.

버스정류장에서 나에게 찾아온 강력한 생각들

10월 중순을 기점으로 다시 크게 확산되어 갔던 코로나 바이러스 때문에 전 세계가 긴장을 하고 있었다. 한국의 상황은 심각하지 않았지만, 세계적으로 급격한 바이러스 확산세에 마음이 편할 수는 없었다. 나는 마음이 없거나 숨겨져 있기 때문에 무언가를 간절히 원한다는 것이 다소 불가능한 상태라고 생각했다. 하지만 때에 따라, 떠오르고 직면한 어떤 생각들로 인하여, 진정한 눈물을 흘리거나, 간절한 마음이 순간적으로 생기기도 했다. 하루는 버스정류장에서 버스를 기다리는 중에, 전 세계로 확산되는 코로나 바이러스 상황에 대해서 눈물을 흘리면서 마음속으로 기도한 적이 있었다. 그때, 내면에서 강력한 속삭임이 일어났다. 평소에는 느끼지 못하지만, 아주 가끔씩 어떤 순간에 마음의 소리가 울리는 듯한 느낌을 받았던 것이다. 그때 나에게 도달한 생각은

'눈물을 흘리면서 불편해하지 마라.'

'이것은 하늘의 심판이다.'

'하늘에 복종하지 않는다.'

'트럼프가 재선이 안될 수가 있겠나,'

였다. 그때 강력한 존재의 느낌을 받았다. 나는 하늘에 복종할 수밖에 없으며, 하늘에 저항하다가는 나 역시 파괴될 것이라는 생각이 들었다.

아버지에게 말씀드리다

이렇게 심각한 운명을 가족들에게 어떻게 설명해야 할 것인가에 대해서 몇 년 전부터 고민이 많았다. 가정의 분위기가 보수적이었기 때문에, 부모님은 보수언론의 영향을 많이 받으시는 것 같았다. 나는 혼자서 이 무거운 운명을 감당하기는 힘들었기에, 의사선생님 이외에 틈틈이 어머니께 내 운명의 진실에 대해 말씀드렸다. 의사선생님이나 역술인들에게 들었던 칭찬이나 존재적 가능성에 대해서, 그리고 세상의 변화에 대한 나의 생각들에 대해서 말이다. 하지만 가족들은 내가 여러 번 환청을 듣거나, 과대한 이야기를 했던 적이 있는 것을 알고 있었기 때문에, 내가 말하는 새로운 생각이나 유능함에 대해서 믿지 않고, 오히려 내가 과대망상을 하는 것처럼 걱정하는 것 같았다. 그럴수록 나는 혹독한 정신적 시련을 겪었다. 가난한 태생의 사람이 성공을 하기 위해서 큰 꿈을 갖고 사회에 나갔을 때, 불합리한 사회로 인해 실망하고 상처를 받지 않을까 하는 마음에서 비롯된 걱정일 것이라는 생각도 들었다. 무거운 내적 세계를 감당한 채, 가족들에게 말하지 않고, 비밀을 지켜가는 것만으로 진정한 고독과 함께 어른이 되어가는 것 같았다.

유튜브에서 차기 대통령에 대한 예언 영상을 여러 개 보면서, 운명의 가능성에 대해서 더 각성했고, 아버지에게 적당한 선에서 말씀드리기로 했다. 제가 글을 잘 써서 국가에 이바지하게 되었고, 그로 인한 결과로 국민들이 원한다면 국가지도자가 될 수 있다고 말씀드렸다. 정말로, 이것은 엉뚱한 이야기였다. 현 헌법으로는 차기 대통령에 지원조차 할 수 없는 나이에다가, 알려진 인물도 아니고, 무슨 글을 그리 잘 썼기에 대통령의 가능성이 있다는 것인가. 내가 아버지였어도, 딸의 정신 상태가 슬프고 걱정스러웠을 것 같다. 그래서 가능성이 있다는 정도로 말씀드렸다. 괜히 말씀

드렸다는 생각도 들었다. 아버지의 건강이 걱정되었기 때문
이다. 그렇지만, 아버지는 젊은 시절에 한 스님에게 자식 중
에 TV에 나오는 자식이 있다는 말을 들으셨고, 그것을 기억
하고 계셨기에 가능성이 전혀 없지는 않다고 보시는 것 같
았다.

내 몸을 천금같이 아끼는 이에게 천하를 맡길 수 있다

　내면에서 안내한 느낌에 따라, 코로나 바이러스는 하늘의 심판이며, 내가 어찌할 수 없다는 결론을 내렸었다. 그로 인해, 불편한 마음이 조금씩 사라졌고, 건강을 회복하고 죄책감에서 벗어나면서 당당함을 원했다. 나는 죄인이 아니며, 자유롭게 생각할 수 있다고 생각했다. 나쁜 생각이 본의 아니게 가끔씩 떠오를 수 있는데, 나는 당당하게 분노하고, 당당하게 슬퍼하며, 당당하게 기뻐할 수 있다고 생각했다. 큰 에너지의 인간이 적대적이고 부정적인 생각을 한다면 세상이 혼탁해질 수 있다는 것을 알고 있었지만, 그렇다고 떠오르는 생각 하나하나에 죄인으로 살아갈 수는 없다고 생각했

146

다. 하지만, 적대적이고 부정적인 생각을 할수록, 내 몸이 힘들어진다는 것을 알게 되었다.

내 몸을 천금같이 아끼는 사람에게 천하를 맡길 수 있다는 도덕경의 내용이 떠올랐다. 내 몸을 가장 아낀다면, 세상을 원망하고 분노하는 마음을 강하게 가질 수가 없기에 세상을 화평하게 만들 수 있다는 의미가 아닐까? 세상의 평화를 기원하고, 사랑을 실천하는 가장 근본적 이유는 내 몸을 아끼기 때문이 아닌가. 투쟁하고 싸우는 방식은 나의 방식이 아니었다. 직접적으로 의견을 표명하고, 주장하며 의지를 관철시키는 방식보다, 혼자서 의도하고 기도하며 은밀하게 미래를 창조해가는 것이 훨씬 현명한 방식이 아닌가. 아직도 나에게 투쟁적인 마음이 남아있다면, 기도의 능력을 완전히 믿지 못하기 때문이 아닌가. 내가 적대적이고 부정적인 생각을 강하게 한다면, 하늘이 나를 파괴시킬 것이라는 느낌이 왔다. 거대한 힘은 하늘에 복종하는 것이지, 마음대로 소유할 수는 없는 것이라고 다시 한번 되새겼다.

"너만 행복하면 우리 다 행복해."

문득, 심연에서 존재가 전했던 메시지가 떠올랐다. "너만 행복하면 우리 다 행복해." 코로나 바이러스가 하늘의 분노를 기반으로 한 심판이라면, 화를 잠재울 수 있는 방법은 내가 행복해지는 것일 수도 있겠다는 생각이 들었다. 그래서 코로나로 부담을 느끼고 죄인으로서 심적 부담을 느끼기보다는 우선 행복해져야 한다는 생각이 들었다. 내가 눈물을 흘리고, 운명에 부담을 느끼며, 죄인으로 자신을 생각하는 것을 하늘이 바라본다면, 슬퍼하고 분노할 수 있겠다는 생각이 들었다. 그래서 종종 코로나의 종식을 기원하면서도, 행복한 상상을 이어가자는 생각을 했다. 나에게는 훌륭한 배역이 주어지지 않았던가. 생각해 보면, 온 인류의 소망인 세계 평화의 방향성을 제시할 수 있는 멋진 역할이 나에게 주어졌다는 것은 정말로 행복한 일이었다. 수년간 지속된 엄청난 역사 속에서 아직 다가오지 않은 현실 앞에 행복을 제대로 실감하지 못하고 있지만, 드러난 결과를 본다면 정말로 멋진 일이 아닌가. 하늘은 이미 내가 등장함으로써 코로나가 종식된다는 메시지를 주었기 때문에, 등장하지 않은 상태에서 코로나의 종식을 바라기보다는 세상이 나를 적절한 시점에 등장할 수 있게 해 주기를 바랐다. 나의 등장만이 중요한 것이라기보다는 등장해서 역할을 잘 수행해내야 하기 때문에, 시대정신을 파악하고, 수신에 더욱 힘쓰는 것이 내가 할 수 있는 최선이 아니겠는가. 나는 다시 한번 수신의 중요성을 떠올렸다. 기존의 질서를 지키고자 하는 많은 이들이 나의 등장을 원치 않을 것이지만, 하늘이 세상에 새로운 질서를 내려 다스리기 원한다면, 나의 등장은 필수적인 것이라고 생각했다.

인생에서 가장 큰 대운이 온 것인가.

　예전에 한 역술인에게 인생에서 3번 오는 대운 시기에 대해 들은 적이 있었다. 첫 번째 운은 2016년~2017년 경이라고 하여, 큰 운명을 느꼈던 건명원을 준비하고 지원한 점도 있었다. 두 번째 대운은 인생에서 가장 큰 운인데, 2019년~2021년 까지라고 했다. 지나고 보니, 거대한 세계가 나에게 다가오는 시기였던 것 같다. 무속인들의 유튜브 영상을 보아도, 대운이 들어올 때의 징조가 있는데, 그에 내가 해당되는 것이었다. 이사한 집의 수도관이 터졌고, 에어컨이 고장 났으며, 오래도록 잘 쓰던 TV가 고장 나 새로 교체하고, 침구나 핸드폰 등 여러 가지 물건들을 새롭게 교체해야 했다. 그리고 몸이 여기저기 아파서 치료를 받아야 했다. 그러다 점차 건강을 회복하면서 마음이 편해지고, 얼굴이 밝아지며, 자신감으로 미래에 대한 기대감이 커지는 것이 아니겠는가. 무속에서는 대운이 들어올 때, 묵은 기운이 빠지고 새로운 기운이 들어오는 과정에서 이러한 일들이 일어난다고 하였다. 원래 무속적인 것을 미신이라고 생각하며 믿지 않는 적도 많았는데, 직접 경험해보니, 보이지 않는 영적인 힘이 존재한다는 것을 알게 되었다. 30대에 나에게 인생에서 가장 큰 대운이 들어왔다. 나는 이 거대한 운을 잘 다스리며, 감당해낼 수 있을까.

세계평화에 대해서

궁극적으로 진정한 세계 평화가 가능하려면, 전쟁과 같은 무력에 의한 질서가 아니라, 하늘의 존재를 증명하고, 하늘에 의한 질서가 정립되어야 한다. 세계는 다극화로 살아가는 와중에, 올바른 힘과 상식에 대한 존중으로 세상을 다스려 가야 한다고 생각했다. 어떠한 혁명이든, 과거보다 진보해야 정당성을 인정받을 수 있다. 세상에 대한 강제성과 억압은 사라져야 할 것이다. 그것은 자유를 지키기 위한 것이었다고 하자. 이제는 강제적 지배가 아니라, 상생을 통한 자유로운 세상을 만들어가야 한다. 약소국이라고 핍박받지 아니하고, 강대국이라고 억압으로 이익을 독점하지 않는, 다양성이 공존하는 세상. 인간 모두가 주인이 되는 세상. 그것이 하느님 나라가 아닐까 생각해 보았다.

하늘에 의한 질서가 자리 잡기 위해서 코로나가 역할을 하고 있다고 생각했다. 코로나로 인해 죽음을 생각하게 되고, 인간은 자연스럽게 신의 뜻을 생각한다. 코로나의 종식이 신과의 관계에 연결되어 있지 않다면, 새로운 질서는 만들어지기 어렵다. 무력에 의한 질서가 사라지려면, 하늘의 뚜렷한 질서가 필요한 것이다. 그래서 나의 등장으로 코로나가 사라지는 마법이 펼쳐져야 하고, 나는 하늘의 뜻을 살피고 전하는 전령사가 되어야 한다. 세상은 나의 등장을 끌어당겨야 하고, 더 변화할 수밖에 없다. 세계경제규모 10위권의 나라가 어떻게 갑자기 최고의 선도국이 되겠는가. 그것은 하늘이 세상을 다스리는 시대가 되고, 제사장 역할을 할 수 있는 지도자가 한국에 있기 때문이 아닌가. 코로나 위기를 단지 인간의 지혜로 끝내려는 방향은 어리석은 것이다. 다음 자리할 질서가 하늘의 질서인데, 그에 순응해야 코로나는 역할을 끝낼 것이 아닐까 하고 생각했다.

새로운 질서를 만든다는 것에 대해서

거대한 세계를 정신적으로 감당하면서, 일상에 소홀하기 쉬울 수 있겠다는 생각이 들었다. 에너지는 한정되어 있기 때문이다. 점점 스트레스가 커졌고, 나는 달리 나의 세계를 털어놓을 친구도 없었기에, 핸드폰 메모장에 생각들을 풀어냈다. 어떤 날은 미래에 대한 비전을 적어보며 희열에 가득 찼고, 어떤 날은 화가 나서 분노하며 화를 표현한 적도 있었다. 내 생각이 미래를 창조한다는 생각이 있었고, 화를 다스려가자고 다짐했는데, 스트레스가 극도에 달할 때는 차마 메모장에 그 화를 풀어내지 않으면 안 되는 상태가 되었던 것이다. 그러면서도 부정적인 메모를 남겨서 미래를 창조할

154

수 있다는 생각에 괴로워하기도 했다.

그런 시간이 지속되다가, 문득 이런 생각이 떠올랐다. 내가 왜 세계 때문에 괴로워하는가. 내가 홀로 화를 내고, 싫어하는 것을 생각하고 표현한다면, 언젠가 그것을 세상이 알아채고, 나에게 맞추어 줄 것이 아닌가. 이미 있는 질서에 순응할 것이 아니라, 내가 질서를 만드는 주체가 되면 되는 것이 아닌가. 이 전염병의 목적도 질서의 변화라면, 내가 힘을 갖고, 질서의 주체가 되는 것이 코로나 종식에 도움이 되는 것이 아닌가 하는 생각이 들었다. 나는 기쁘면 기뻐하고, 화가 나면 화를 내고, 슬프면 슬퍼하면 되는 것을 너무 어렵게 생각했던 것이 아닌가.

이 모든 것은 내가 감시받고 있을 수 있다는 생각 때문에 더 스트레스를 받았던 것이다. 내가 차기 대통령의 가능성이 있기에 충분히 가능한 상상이라고 생각했다. 기존의 질서를 지키고자 하는 이들에게 나는 악마일 것이며, 새로운 시대를 염원하는 이들에게는 천사이자 구원자가 될 것이다. 정의로운 생각이 투쟁적이더라도 순간, 내 몸이 본능적으로 원한다면, 때에 따라서는 표현할 수 있는 것이었다. 나는 고요하게 존재하며, 스트레스를 받아 화가 날 때는 죄책감을 느낄 것이 아니라, '화를 남몰래 표현하자, 그것은 인간의 당연한 권리이다'라고 생각했다. 앞으로는 내가 원하는 바를 글로써 분명하게 적어보기로 했다. 그것이 세상에 전해지든, 전해지지 않든 간에, 새로운 질서를 만들수록, 전염병 종식에 가까워진다면, 나는 당당히 질서를 만들 책임이 있는 것이었다.

나의 분노를 세상이 두려워한다면, 내가 스트레스 받지 않게 세상을 변화시켜 줄 것이 아닌가. 나는 이제 당당한 주인이 아닌가. 지도자인 내가 진정한 삶의 주인이 되어야, 국민들도 진정한 주인이 될 수 있고, 새로운 질서를 만들 수 있다고 생각했다. 시정이 필요하며, 정의에 반하는 일에 대해서는 글로써 자연스러운 화를 내기로 했다. 불편했던 내 몸의 건강을 위해서이고, 내 몸을 아끼기 때문이다. 에너지가 큰 사람은 덕스러움을 위해 싸움을 피해야 하고, 몸을 소중하게 여기기에 갈등에 대항하는 것을 피해야 한다고 생각했지만, 정의를 위한 갈등이 내 몸의 불편함을 유발한다면, 충동에 의해 정의롭게 대항하는 입장을 가질 수도 있다는 결론을 내렸다. 종종 전자기기에서 의심스러운 상황을 접할수록, 내가 사용하는 전자기기 환경이 보안에 취약할 수 있다는 점을 알게 되었고, 유료 백신 프로그램을 설치함으로써, 마음의 안정을 가질 수 있었다.

코로나 백신과 치료제의 개발 소식

세계 각국에서 백신 개발에 성공했다는 뉴스가 들려왔다. 잘 된 일이라고 생각하면서도 그 부작용에 대해서는 걱정이 되었다. 백신 개발에 너무나 많은 돈이 투자되어 있었고, 심각한 상황 속에서 급하게 백신을 만들어 출시했기 때문에 국민들의 생명과 안전을 지킬 수 있을지에 대해서 걱정이 되었다. 하지만 전 세계에서 코로나로 인해 너무나 큰 피해가 있었기 때문에, 많은 국가들은 부작용을 감당하더라도 백신을 사람들에게 투약하도록 결정하는 듯 보였다. 영국에서 코로나 바이러스의 변이가 진행되었다는 소식과 함께 백신이 효과가 있을 것인지에 대한 의구심이 더 생겨났다.

국내에서는 코로나 치료제 개발에 성공했다는 소식이 들렸다. 그래서 내년 2월부터는 마스크 없이 살 수 있다는 소식까지 접할 수 있었다. 나도 모르게 감동의 눈물이 주르륵 흘렀다. 치료제를 개발한 분들과 하느님에게 큰 감사를 느꼈다. 이것으로 온 인류가 구원받을 수 있기를 바랐다. 세계 보건 기구는 백신이 코로나 종식을 의미하지는 않으며, 코로나에 면역을 가진 사람들이 많아져야 코로나가 종식된다고 하였다. 그것은 최대한 많은 사람들이 코로나에 걸렸다가 회복되는 것을 뜻하는 것이 아니라, 어떤 정신적인 면역을 가지도록 진화하는 것을 뜻하는 것이 아닌가 하는 생각이 들었다. 그래서 나의 등장으로 그것을 앞당길 수 있다고 생각하면서도, 세상이 준비되지 않은 상태에서 등장한다면 나를 악마로 몰아가며 사회가 더 혼란스러워질 수 있고, 그렇다면 인류에게 더 큰 재앙이 올 수 있다고 생각하니 더욱 신중해졌다.

미국대선 결과

내면에서 알려준 메시지를 기억하고 있었다. 내면에서는 트럼프가 재선이 안될 수가 있겠냐고 했다. 내가 신뢰하는 블로거들이나 유투버들도 트럼프의 재선을 예상하고 있었기에 그 결과에 대해 기대가 되었다. 세계 평화의 관점으로서는 트럼프 대통령이 재선되는 것이 운명적으로 시작한 과업을 마무리할 수 있기에 마땅하다고 생각했다. 하지만, 개표 결과는 바이든의 손을 들어주었다. 트럼프 대통령은 부정선거였다며, 소송을 제기하고, 증거를 확보하는 등, 결과를 뒤집기 위해 많은 노력을 했지만, 최종적으로 바이든이 미국의 대통령으로 선출되었다. 최종적으로 결과가 나온 것은 한국날짜로 내 생일이었는데, 이것은 무슨 의미일까. 오히려 이것으로 나에게 자유가 생겼다고 할 수 있을까. 내면의 안내는 소중한 조언이 되고, 생각할 거리를 제공하지만, 미래는 예측할 수 없다는 것인가.

새로운 질서에 대한 고찰

새로운 질서, 힘의 근원이 된다는 것은 무엇을 의미하는가. 그것은 힘의 통로가 됨을 의미한다. 나의 분노와 의지로 대상을 응징하고, 처벌하고자 하는 마음을 먹는 것은 결코 핵심적인 것이 아니다. 내가 세계의 실상에 대해서 얼마나 많이 알 수 있겠는가. 어쩌면 오히려, 진정한 힘의 작용을 방해할지도 모른다. 나는 인간이기에 나의 이성과 지식과 지혜는 한계가 많은 것이다. 내가 낮은 자세와 소박함을 유지해 나갈 수 있고, 비워짐을 지켜나갈 수 있어야, 때에 따라 존재의 진정한 통로가 될 것이 아닌가. 그래야 국가의 질서

뿐만이 아니라, 세계인이 지켜볼 수 있는 질서의 주체가 될 수 있겠다는 생각이 들었다. 의지가 개입된 힘은 영향력을 크게 행사하기가 어렵다. 거대한 세계질서의 중심축이 된다는 것은 한 개인의 의지만으로는 부족하다. 어떤 의지로 고정적 생각을 하고, 지켜야 한다는 것을 생각하기 보다, 자연스러움을 발휘하는 것이 필요하다는 생각이 들었다. 소박함과 의지, 자연스러움과 혼돈 후에 균형, 왕복운동, 그 모든 순간의 집합체가 모여서 세계에 어떤 좋은 영향을 줄 수 있어야 할 텐데, 걱정이 되었다. 화를 내는 마음이 질서를 만드는가. 용서하는 마음이 질서를 만드는가. 어렵게 분별하기 보다, 본능에서 튀어나오는 모든 작용들이 질서와 여정을 보여줄 뿐이다. 아무것도 하지 말자. 본능이 작용하도록..

6. 국가운영에 대한 비전

대한민국 헌법의 기본원리

새로운 질서의 주체가 되기 위해서 국가지도자로서의 역할과 사명, 그리고 전략에 대해서 정리해보기로 했다. 그동안 대한민국은 강대국의 영향으로 헌법을 제대로 수호하는데 어려움을 갖고 있었다. 그것은 국가의 내적 독립성과 힘이 부족했기 때문일 것이다. 헌법을 수호하는 것은 대통령의 가장 중요한 책무이다. 처음에는 나이가 어린 여성이며, 경력도 부족한 내가 과연 대통령으로서 역할을 잘 수행해낼 수 있을 것인지에 대해서 고민이 많았다. 하지만, 내가 걸어온 여정과 연구성과로 가장 중요한 대한민국 헌법의 기본 원리를 지켜낼 수 있다면, 의롭게 직무를 수행해낼 수 있을 것이라는 생각이 들었다. 교과서에서 익힌 대한민국 헌법의 기본 원리는 다음과 같다.

1. 국민 주권주의 : 국민이 주인이라는 것이다.

2. 자유 민주주의 : 자유롭고 민주적인 나라를 지향해야 한다.

3. 복지 국가의 원리 : 국민 전체의 복리증진과 인간다운 삶을 보장해야 한다.

4. 문화 국가의 원리 : 문화 융성에 힘써야 한다.

5. 평화 통일 지향 : 평화적인 방법으로 통일을 지향해야 한다.

6. 국제 평화주의 : 세계 평화에 이바지할 수 있어야 한다.

권력에 대해서

권력은 특정한 정당의 소유가 아니다. 국민들의 것이다. 국민들의 필요에 따라, 시대정신은 교체될 수 있어야 한다. 나 역시 정권을 잡더라도 언젠가 시대정신이 물러나도록 한다면, 순응해야 하는 것이다. 선진사회는 무엇인가. 역사가 바르게 작동하고, 역사가 생생하게 실현되며, 정치인들이 역사에 순응하는 마음으로 국가의 이익을 위해 일하는 사회를 말한다. 세계가 흘러가는 도도한 정신이 있는데, 그에 따라 대처하고 순응하는 것이 바른 정치의 표본이다. 어쩌면, 내가 나이가 어리고, 여성이며, 표면적으로 강해 보이지 않는 점이 평범한 국민들을 대변하는 성격이 있기 때문에 좀 더 국민들에게 호응을 얻을 지도 모른다. 평범하게 중소기업에서 일하며 열악한 환경을 경험해보았고, 불안정한 아르바이트와 월세를 경험하고, 가난 속에서 성장한 여성이 국가의 리더가 된다면, 강대국들의 입장이 아니라, 하늘과 국민들의 입장에서 정치를 할 수 있기 때문에 평범한 국민들이 가장 원하는 바 일 것이라고 생각한다. 다음 정부의 기본 방향은 헌법을 중시하고, 그동안 반영하지 못했던 국민들의 바람을 종합하여 실행하는 데 집중되어야 한다. 하늘과 국민들을 두려워하는 마음을 지속해나갈 필요가 있다.

사회통합을 위하여

현재, 대한민국은 우파와 좌파, 보수와 진보 사이에 갈등의 골이 깊다. 정치는 비전 없이 양분되어 있고, 사회의 분열은 심화되어 간다. 언론이 분열을 더욱 부추기고, 국민들이 깨어나지 못하게 한다. 사회가 분열되어 있으면, 주변의 강대국들이 한국을 마음대로 지배하기 유리하다. 사회 발전을 위한 핵심 문제에 집중하지 못하게 만든다. 힘이 외부에 있는 사회의 전형적인 현실이다. 그러므로 우리는 이제, 자주적 힘에 집중할 때가 되었다. 다행스러운 것은 하늘과 역사가 우리를 도와주고 있다는 것이다.

새는 양쪽 날개로 난다. 통일은 어느 한쪽의 패배와 어느 한쪽의 승리가 아니다. 오랜 역사 속에서 국민 모두가 이루어낸 값진 성취인 것이다. 그동안 모든 국민들이 고생 많았다고 위로하고 싶다. 어느 한편의 이념이 문제라기보다는, 힘이 외부에 있었기 때문에, 모든 문제가 있었다는 것을 통절하게 깨닫고, 앞으로도 지속적으로 내적 힘을 길러가는 데 모든 힘을 쏟아야 한다. 통일은 우파와 좌파 모두에게 이익이 된다. 통일은 성장 동력과 자유를 선사하고, 우리를 국가의 진정한 주인으로 만들어준다. 물론 변화에 순응하고자 하지 않는 세력들에게는 반가운 소식이 아닐 것이다. 하지만, 필연적으로 다가온 역사적 흐름 아래, 변화의 시기를 좋은 투자 기회로 알고 적극적으로 행한다면, 개인의 부도 늘어날 수 있기에 현 기득권들에게도 큰 이익이 될 것이다.

평화통일에 대해서

그렇다면, 가장 중요한 통일은 어떻게 이루어 나갈 것인가. 한반도를 중심으로 한 새로운 세계질서가 도래한다면, 통일은 자연스럽게 올 것이다. 현재 우리 민족이 겪고 있는 근본적인 고통은 국가에 하늘의 덕이 끝나가는 말세라서, 분열되고, 주변 강대국들의 억압을 받아온 것 때문이라고 생각한다. 일반적으로 새 국가가 건국된다는 것은 하늘의 덕이 충만한 리더가 세워지고, 유능한 인재가 많아진다는 것인데, 하늘의 덕을 받았던 조선왕조가 세워진 지 너무 오랜 시간이 지났다. 이제는 진정으로 새로운 국가를 건설해야 하는 시점이 된 것이다.

한반도 비핵화는 우리 민족이 평화통일과 세계 평화를 향해 만들어가는 역사를 하나의 세계사로서 전 세계에 공표할 수 있을 정도로 만인이 알게 될 때, 자연스럽게 찾아올 것이라고 생각한다. 비핵화가 된다면, 일차적으로 남북 교류를 통하여 각국의 경제를 활성화시키고, 언젠가 두 국가가 진정으로 하나 됨을 원할 때, 하나의 국가로 아름답게 탄생할 수 있을 것이라고 생각한다. 나의 운명적 여정이 가리키는 방향은 최종적으로 하나 된 아름다운 한반도라고 생각했다.

대한민국의 교육에 대해서

그동안 많은 국민들이 교육제도 개선에 대해 목소리를 높여 왔지만, 시정되지 않았다. 그것은 아직 전쟁을 끝내지 못한 사회구조 때문이었던 것이다. 자주권을 잃은 채, 이념의 대립과 전쟁을 지속하고 있는 사회에서는 문제를 빠르게 풀어내는 병사를 기르는 것이 가장 중요했을지도 모른다. 그리고 그러한 교육에 내가 잘 적응했기에, 목숨이 위태로웠던 심각한 위기 상황에서도 생존을 지켜낼 수 있었는지도 모르겠다. 하지만 이제, 통일이 되어 우리 국민들이 이 땅의 진정한 주인이 된다면, 기존의 교육을 지속할 필요는 없어진다. 이제는 4차 산업혁명 시대에 걸맞은 미래지향적 교육을 구상해야 한다. 한국 사회의 많은 문제들은 진정한 주인 교육이 시행되고 있지 않았기 때문에 벌어지는 면이 크다고 생각한다.

추격형 국가에서는 기존 질서에 적응해야 하기 때문에 최대한 많은 지식을 섭렵해야 하지만, 우리가 길을 만들어 나갈 수 있는 선도형 국가로 탈바꿈한다면, 많은 지식보다는 호기심이나, 상상력, 창의성, 인간다움, 기본기에 좀 더 집중해야 한다. 핵심적이고, 필수적인 지식과 원리들을 깊이 있게 익히는데 초점을 두면서, 놀이와 신체성 회복, 삶의 여백을 통해서 호기심을 살려야 한다. 아이들을 더 이상 문제풀이 기계이자 노예로 전락시켜서는 안된다. 교육이란, 인간의 자연스러운 성장을 도와줄 수 있어야 하는 것이고, 지나친 주입으로 인간의 본성을 훼손시켜서는 안된다. 우리 민족의 고유한 홍익인간의 정신을 살려서 국민들을 참다운 주인으로 키워낼 수 있는 교육이 진행되어야 한다. 미래사회에 창의성이 중요한 능력이지만, 모든 국민들을 더 창의적으로 만들기 위해 지나치게 노력하기보다는, 국민들 개개인의 개성과 본성, 주인 됨을 각성하도록 돕고, 실패를 허용하고 다양성을 존중하는 사회적 분위기를 만드는 것이 중요하다.

중소기업 문제에 대해서

나는 여러 중소기업에서 몇 년간 근무했다. 내가 여러 곳을 경험하고 내린 결론은 중소기업 중에 근무환경이 열악한 곳이 많고, 연봉 수준이 낮으며, 직원들에 대한 불합리한 갑질이 만연하고 있다는 것이었다. 일자리가 부족한 사회에서 직원들은 쉽게 노예로 전락한다. 구직자에게는 생존을 위한 다른 대안이 없기에 목소리를 낼 수 없기 때문이다. 낮은 연봉과 열악한 환경, 고된 업무량과 야근에도 묵묵히 일해야 한다. 회사는 철저히 갑의 입장에서 을인 직원들을 마음껏 부린다. 그런 환경에서 여성인 직원은 성적인 피해까지 받을 수 있다. 이것이 문제가 발생한 특정 회사만을 탓해야 할까. 그것은 사회 전반적인 갑을 관계에 순응하는 구조적 질서가 존재하기 때문이 아닌가. 이러한 이유로 구직자들은 중소기업에 취직하기를 꺼린다. 극단적으로 말해서, 어두운 질서에 순응하는 처세법을 배우지 않으면, 살아남기 힘들기 때문이다. 차라리 시간적으로라도 자유로운 아르바이트를 하면서 정신의 건강을 지키려고 할지도 모른다.

대기업 중심의 사회 양극화를 막기 위해서는 중소기업의 성장이 중요하다. 통일이 된다면, 국가의 내적인 힘을 확보할 수 있기에, 조선시대부터 지속된 지독한 갑을 관계의 질서를 청산할 수 있다. 또한, 북한이라는 개발 기회와 함께 내수가 커지게 되어, 사회의 경제를 움직이는 동력이 되살아날 것이다. 내수가 커진다면, 주요 고객인 국민들을 더 위할 수 있기에 소비자의 권익이 향상될 수 있고, 중소기업이 세계적으로 성장하고 진출하는 데에도 도움이 될 것이다. 구직자들이 일자리를 찾아 헤매는 것이 아니라, 기업들이 인재들을 더 많이 원하게 될 것이고, 일자리 문제가 해소되면서 구직자들에 대한 처우도 많이 개선될 것이다. 생존의 문제가 해결되면서, 점차적으로 출산율 저하와 인구감소 문제, 성차별과 남녀 갈등 문제도 해소될 것이다.

부동산 문제에 대해서

한국의 부동산 문제는 정말로 심각하다. 부동산 가격이 점차로 높아지고, 국민들은 부동산 대출금을 갚기 위해 일생을 바친다. 부동산 가격이 지나치게 높으니, 대부분의 사람들이 돈을 아껴 쓰고 살아야 하는 빠듯한 생활을 한다. 그럴수록 돈은 활발하게 돌지 않기에 경제가 활성화되기 어렵다. 사회가 경직되고 정체되어 있기에, 안정적인 투자처인 부동산이 아닌 곳은 투자가치가 낮다. 그래서 많은 돈이 더욱 부동산에 몰리니, 집값 상승이 더 커질 수밖에 없지 않겠나. 게다가 아직 국민들이 국가의 진정한 주인이 되지 못한 탓에, 한국의 부동산에 투자한 많은 외국인들의 눈치를 봐야 하는 입장에서 부동산 정책을 운영할 수밖에 없는 측면이 있기에 부동산 문제가 더 심각하다는 생각을 해보았다.

경제의 적은 불확실성이라고 했다. 내가 대통령이 되어, 통일을 구체화하고, 모든 전쟁을 종식시키는 비전을 실현해 나간다면, 미래는 예측 가능한 범위에서 움직일 수 있기 때문에, 국내뿐 아니라, 세계 경제의 불확실성이 해소될 것이다. 사람들은 이제 전쟁의 두려움에서 벗어나, 새로운 시대를 구상할 수 있고 적극적인 투자를 통해 전 세계의 경제가 살아날 것이다. 수출을 중심으로 하는 한국의 경제 역시 더욱 살아날 것이다. 그렇다면, 한국 내에 부동산에만 유독 집중되어 있었던 자금이 북한 개발 관련 기업들을 비롯한 다른 곳에 몰릴 수 있다. 예전처럼 지속적으로 크게 가격이 오르지는 않는 부동산 투자로는 투자자들이 큰 이익을 보기 힘들기 때문에 부동산 가격은 점차적으로 안정되지 않을까 하는 생각이 든다.

현 정부에서는 부동산 가격을 낮추는 방편으로 부동산의 공급량을 늘리고자 임대 아파트 많이 짓고 있는데, 그것은 국민들의 생존권을 지켜주기에 현시점에서 바람직하다고 생각한다. 하지만 임대 아파트 입주자와 입주하지 못하는 사람 사이의 형평성을 고려하여 2년 재계약마다 빡빡한 소득 기준을 적용하면서 국민들의 자유를 위협하고 있다. 그래도, 집이 없는 것보다 낫지 않느냐고 말할지도 모르지만, 2년마다 재계약하기 위해서 소득의 현상 유지를 점검해야 한다면, 진정한 주인이 아니라, 국가에 눈치 보며 살아야 하는 입장이 된다. 국민들의 욕망과 성장 동력을 국가 경제의 기본으로 삼는 국가 입장에서는 문제가 될 수 있다. 부동산 가격이 안정된다면, 임대 아파트의 소득기준을 빡빡하게 유지하지 않아도, 형평성의 문제로 불만을 가지는 사람이 적어질 수 있다. 그렇게 된다면, 재계약 시의 소득기준을 완화하거나, 없앨 수 있을 것이라고 생각한다.

나는 경제 전문가가 아니며, 나의 생각이 비현실적일 수 있다. 경제에 대해 잘 아는 전문가분들이 많이 계실 것이라고 본다. 하지만 많은 전문가들은 과거 질서의 현실적 조건 하에서 생존하는 법을 모색하는 데에 익숙할 것이다. 한국의 모든 문제는 해법을 모르는 것이 아니라, 분단으로 인해 해법을 실행할 수 없는 현실적 조건 때문에 좌절되어 왔다는 굳은 믿음이 있다. 통일이 되어 온 국민의 진정한 자유가 도래한다면, 국민들이 머리를 맞대고, 국민 모두에게 이익이 돌아가 잘 살 수 있는 경제정책들을 결정하고, 실행할 수 있을 것이라고 본다.

복지국가에 대해서

국민들이 행복한 삶을 누리도록 돕는 것은 국가의 사명 중의 하나일 것이다. 그래서 대한민국은 헌법에서 복지국가를 지향하고 있다. 하지만, 국가가 국민들의 모든 문제를 해소해 주기 위해 지나치게 관여한다면, 국민들의 자발적인 문제 해결을 통해서 역량을 강화시킬 수가 없기에 국가경쟁력 차원에서 바람직하지 않을 수도 있다. 국가가 발전하고 성장하기 위해서는 국민들의 개인적인 욕망들을 잘 활용할 수 있어야 한다. 어려움은 때때로 약이 될 수 있지만, 기본적인 생존을 위협할 정도로 힘들어서는 안 된다. 어떤 국민도 기본생활을 누리는 데 있어서 어려움이 없어야 한다.

184

그동안 국민들은 생존의 위협을 너무나 많이 겪어왔다. 주거문제, 일자리 문제, 전쟁 위협, 각종 범죄 등등 문제가 많았다. 이제는 국민들이 평화롭고 정상적인 환경에서 안심하고 살아갈 수 있는 국가를 운영해야 한다. 최고의 복지는 일자리라는 말이 있다. 우리 국민들이 적성과 능력에 따라, 보람을 느끼며 인간적인 분위기에서 일할 수 있고, 경제가 살아나 자유롭게 주식이나 부동산에 투자하며, 부를 키워갈 수 있는 환경을 꿈꾼다. 진정한 복지는 개인의 건강하고 자유로운 욕망을 억압하지 않고, 살려나갈 수 있는 행복한 환경을 만들어 주는 데에서 온다고 생각한다.

국민들의 전반적인 복지를 늘려나가는 큰 방향성은 지속되어야 한다. 유능한 사람들은 능력에 맞게 일자리를 얻고, 투자하며 부를 늘려갈 것이지만, 능력이 부족하거나 사회적 약자들에 대해서도 신경을 쓰고 잘 살펴야 한다. 각자의 개성과 차이는 존중하되, 사회의 양극화와 차별은 줄여가야 할 것이다. 가난하고, 유능하지 않다고 해서 억압받고 차별받지 않는 상생의 사회를 만들어가야 한다. 세금이 복지에 충분히 쓰여야, 국민들은 탈세를 하지 않으려 할 것이며, 돈을 많이 버는 사람들에 대해서 분노하기 보다 세금을 많이 내기 때문에 감사하게 생각할 것이다.

인간에 대한 시선을 좀 더 섬세하고 따뜻하게 키워가기 위해서는 일차적으로 생존의 문제가 해결되어 삶의 여유를 찾아야 하고, 나 자신에 집중하고 주인 된 자신을 돌보는 일을 충실히 할 수 있어야 한다. 자신을 이해하는 만큼 타인도 이해할 수 있기 때문이다. 인간에 대한 이해가 깊어지고 시선이 섬세해질 때, 진정한 선진국, 상생하는 행복국가, 인간적인 복지국가가 된다고 생각한다.

4차산업혁명에 대해서

4차 산업혁명 시대에 가장 중요한 점은 유능한 기계들이 대체할 수 없는 능력을 인간들이 보유하도록 해야 한다는 것이다. 인간다움에 좀 더 집중할 수 있어야 한다는 것이다. 그런 점에서 교육제도를 수정하는 것이 가장 관건일 것이다. 현재의 교육은 기능적이고 기계적인 측면이 크기 때문이다. 창의적인 인재들을 잘 키워내는 것이 국가경쟁력에서 더욱 중요해질 것이다. 창의성이란 진실에 대한 사랑에서 나온다. 따라서 부패한 사회 보다 투명한 사회가 미래사회에 유리한 것은 당연하다. 통일이 된다면, 국가의 힘을 내부에 둘 수 있기 때문에 국가 질서를 바로잡고 법을 강력하게 집행할 수 있기에, 더 청렴하고 투명한 사회가 될 수 있다.

진실이 존중받는 사회를 위해서는 언론의 역할이 중요할 것이다. 생존이 중요한 대한민국에서 언론은 힘에 따를 수밖에 없을 것이다. 힘을 가진 자들이 언론을 통제하는 이유는 진실을 가리기 위한 것일 것이다. 이제 세상의 평화가 도래하여, 가려야 할 진실이 사라진다면, 언론도 점차적으로 투명한 정보를 제공할 수 있을 것이다. 진실한 정보를 제공하지 않는 언론들은 자연스럽게 도태될 것이다. 내가 좀 더 깨어난다면, 국민들이 더욱 깨어날 수 있고, 언론이 더 이상 깨어난 국민들을 속이지 못할 것이다.

인간의 노동을 기계가 일부 대체하지만, 일자리를 잃고 돈을 벌지 못하여 어려움을 겪는 것이 아니라, 오히려 시간적 여유를 누릴 수 있다면 환영할 일이다. 늘어난 여가 시간에 삶의 질을 생각하며, 인간적인 삶에 더욱 집중할 수 있다면, 국민들의 의식은 향상되고 더 나은 사회를 꿈꾸며, 사회는 보다 합리적으로 변화할 것이다. 이제는 생존이 아니라, 행복을 구상하며 살아갈 수 있기에 결혼이나 출산을 꿈꾸는 사람들도 더 늘어날 것이다. 4차 산업혁명의 시대가 기계에 일자리를 빼앗겨서 곤란해지는 것이 아니라, 기계를 활용할 수 있어, 더 여유 있고, 행복하게 살아갈 수 있도록 사회를 구상해나가야 한다고 생각한다.

감사합니다.